Les Fourberies de Scapin

Première de couverture : © Laurencine Lot.
Deuxième de couverture : [h] © Benjamin Renout/Agence Enguerand ; [b] © Marc Enguerand.
Troisième de couverture : [h] © Laurencine Lot ; [b] © Marc Enguerand.
Page 6 : © Roger-Viollet.
Pages 34-35, 76-77, 110-111 : © coll. BHVP-Grob/Kharbine-Tapabor.
Page 62 : © Gusman/Leemage.
Page 143 : © Josse/Leemage.
Page 146 : © Aisa/Leemage.

Cahier photos : p. I : [h] © Robert Hirsch/Collections Comédie-Française ; [b] a. © Akg-images,
b. © Roger-Viollet, c. © Robert Hirsch/Collections Comédie-Française, d. © Laurencine Lot.
p. II : [h] © Nizet, 1992 ; [b] © Costa/Leemage.
p. III : [h] © Marc Enguerand ; [b] © Laurencine Lot.
p. IV : [h] © Josse/Leemage ; [b] © Artothek/la Collection.

© Éditions Belin/Éditions Gallimard, 2013 pour l'introduction, les notes et le dossier
pédagogique.
170 bis, boulevard du Montparnasse, 75680 Paris cedex 14

ISBN 978-2-7011-6437-3
ISSN 1958-0541

CLASSICOCOLLÈGE

Les Fourberies de Scapin

MOLIÈRE

Dossier par Audrey Fredon
Certifiée de lettres modernes

BELIN ■ GALLIMARD

Sommaire

Arrêt sur l'œuvre

Groupements de textes

Autour de l'œuvre

Fenêtres sur...

Des ouvrages à lire, des films à voir,
des sites Internet à consulter et des
œuvres d'art à découvrir

LES FOURBERIES DE SCAPIN.

Illustration des *Fourberies de Scapin*, gravure du XVIIe siècle.

Introduction

Lorsque Molière écrit *Les Fourberies de Scapin* en 1671, il est au sommet de sa carrière : il est un comédien de renom et dirige la troupe du roi Louis XIV. Il est aussi l'auteur de plus d'une trentaine de pièces, principalement des comédies, dans lesquelles il démontre toutes les possibilités du genre. Il a d'abord écrit de courtes farces, puis des comédies plus complexes. À la fin de sa carrière, Molière s'intéresse de nouveau à la farce : *Les Fourberies de Scapin* se rattache en effet à ce genre. La pièce lui emprunte ses tours traditionnels : coups de bâton, mensonges et quiproquos. Les personnages, eux, sont inspirés d'un autre type de spectacle, la *commedia dell'arte* italienne.

Lors de sa première création, la pièce ne connaît pas un grand succès. Pourtant, elle compte aujourd'hui parmi les pièces de Molière les plus jouées. La virtuosité de Scapin, valet expert en tromperies qui ridiculise la bêtise et l'avarice, emporte la sympathie du spectateur. Celui-ci ne s'offusque pas des scènes invraisemblables qui se succèdent, et se laisse entraîner par le plaisir du spectacle.

Personnages

ARGANTE, père d'Octave et de Zerbinette.

GÉRONTE, père de Léandre et de Hyacinte.

OCTAVE, fils d'Argante, et amant de Hyacinte.

LÉANDRE, fils de Géronte, et amant de Zerbinette.

ZERBINETTE, crue Égyptienne, et reconnue fille d'Argante, et amante de Léandre.

HYACINTE, fille de Géronte, et amante d'Octave.

SCAPIN, valet de Léandre, et fourbe.

SILVESTRE, valet d'Octave.

NÉRINE, nourrice de Hyacinte.

CARLE, fourbe.

DEUX PORTEURS.

La scène est à Naples.

ACTE I

Scène 1
OCTAVE, SILVESTRE.

OCTAVE. – Ah! fâcheuses[1] nouvelles pour un cœur amoureux! Dures extrémités où je me vois réduit[2]! Tu viens, Silvestre, d'apprendre au port que mon père revient?

SILVESTRE. – Oui.

5 **OCTAVE.** – Qu'il arrive ce matin même?

SILVESTRE. – Ce matin même.

OCTAVE. – Et qu'il revient dans la résolution de me marier?

SILVESTRE. – Oui.

OCTAVE. – Avec une fille du seigneur Géronte?

10 **SILVESTRE.** – Du seigneur Géronte.

---

1. **Fâcheuses**: mauvaises.
2. **Dures extrémités où je me vois réduit**: situation terrible à laquelle je suis confronté.

OCTAVE. – Et que cette fille est mandée[1] de Tarente[2] ici pour cela?

SILVESTRE. – Oui.

OCTAVE. – Et tu tiens ces nouvelles de mon oncle?

15 SILVESTRE. – De votre oncle.

OCTAVE. – À qui mon père les a mandées par une lettre?

SILVESTRE. – Par une lettre.

OCTAVE. – Et cet oncle, dis-tu, sait toutes nos affaires.

SILVESTRE. – Toutes nos affaires.

20 OCTAVE. – Ah! parle, si tu veux, et ne te fais point, de la sorte, arracher les mots de la bouche.

SILVESTRE. – Qu'ai-je à parler davantage? Vous n'oubliez aucune circonstance, et vous dites les choses tout justement comme elles sont.

25 OCTAVE. – Conseille-moi, du moins, et me dis ce que je dois faire dans ces cruelles conjonctures[3].

SILVESTRE. – Ma foi! je m'y trouve autant embarrassé que vous, et j'aurais bon besoin que l'on me conseillât moi-même.

OCTAVE. – Je suis assassiné[4] par ce maudit retour.

30 SILVESTRE. – Je ne le suis pas moins.

---

1. **Mandée**: envoyée.
2. **Tarente**: ville du sud de l'Italie.
3. **Conjonctures**: circonstances.
4. **Assassiné**: très contrarié.

OCTAVE. – Lorsque mon père apprendra les choses, je vais voir fondre sur moi un orage soudain d'impétueuses réprimandes[1].

SILVESTRE. – Les réprimandes ne sont rien, et plût au Ciel que j'en fusse quitte à ce prix[2]! Mais j'ai bien la mine, pour moi, de payer[3] plus cher vos folies, et je vois se former de loin un nuage de coups de bâton qui crèvera sur mes épaules.

OCTAVE. – Ô Ciel! par où sortir de l'embarras où je me trouve?

SILVESTRE. – C'est à quoi vous deviez songer[4], avant que de vous y jeter.

OCTAVE. – Ah! tu me fais mourir par tes leçons hors de saison[5].

SILVESTRE. – Vous me faites bien plus mourir, par vos actions étourdies.

OCTAVE. – Que dois-je faire? Quelle résolution prendre? À quel remède recourir?

---

1. **Impétueuses réprimandes**: violents reproches.
2. **Plût au Ciel que j'en fusse quitte à ce prix**: si seulement j'avais la chance de ne recevoir que des reproches.
3. **J'ai bien la mine, pour moi, de payer**: j'ai bien l'air d'être celui qui va payer.
4. **Songer**: réfléchir.
5. **Hors de saison**: formulées au mauvais moment.

Scène 2

OCTAVE, SILVESTRE, SCAPIN.

SCAPIN. – Qu'est-ce, Seigneur Octave, qu'avez-vous ? Qu'y a-t-il ? Quel désordre est-ce là ? Je vous vois tout troublé.

OCTAVE. – Ah ! mon pauvre Scapin, je suis perdu, je suis désespéré, je suis le plus infortuné[1] de tous les hommes.

5 **SCAPIN.** – Comment ?

OCTAVE. – N'as-tu rien appris de ce qui me regarde ?

SCAPIN. – Non.

OCTAVE. – Mon père arrive avec le seigneur Géronte, et ils me veulent marier.

10 **SCAPIN.** – Hé bien ! qu'y a-t-il là de si funeste[2] ?

OCTAVE. – Hélas ! tu ne sais pas la cause de mon inquiétude.

SCAPIN. – Non ; mais il ne tiendra qu'à vous que je la sache bientôt ; et je suis homme consolatif, homme à m'intéresser aux affaires des jeunes gens.

15 **OCTAVE.** – Ah ! Scapin, si tu pouvais trouver quelque invention, forger quelque machine[3], pour me tirer de la peine où je suis, je croirais t'être redevable de plus que de la vie.

SCAPIN. – À vous dire la vérité, il y a peu de choses qui me soient impossibles, quand je m'en veux mêler. J'ai sans doute

---

1. **Infortuné** : malheureux.
2. **Funeste** : catastrophique.
3. **Forger quelque machine** : imaginer un moyen, une ruse.

20 reçu du Ciel un génie[1] assez beau, pour toutes les fabriques
de ces gentillesses d'esprit, de ces galanteries ingénieuses[2]
à qui le vulgaire[3] ignorant donne le nom de fourberies[4];
et je puis dire sans vanité[5], qu'on n'a guère vu d'homme
qui fût plus habile ouvrier de ressorts et d'intrigues[6], qui
25 ait acquis plus de gloire que moi dans ce noble métier:
mais, ma foi, le mérite[7] est trop maltraité aujourd'hui, et
j'ai renoncé à toutes choses depuis certain chagrin[8] d'une
affaire qui m'arriva.

OCTAVE. – Comment? Quelle affaire, Scapin?

30 SCAPIN. – Une aventure où je me brouillai avec la justice.

OCTAVE. – La justice!

SCAPIN. – Oui, nous eûmes un petit démêlé[9] ensemble.

SILVESTRE. – Toi et la justice?

SCAPIN. – Oui. Elle en usa fort mal avec moi, et je me dépitai
35 de telle sorte contre l'ingratitude du siècle[10], que je résolus
de ne plus rien faire. Baste[11]. Ne laissez pas[12] de me conter
votre aventure.

---

1. **Génie**: don.
2. **Les fabriques de ces gentillesses d'esprit**: l'invention de ces tours malicieux;
galanteries ingénieuses: tromperies adroites.
3. **Le vulgaire**: le commun des hommes, l'individu ordinaire.
4. **Fourberies**: tromperies perfides, ruses sournoises.
5. **Sans vanité**: sans prétention.
6. **Ouvrier de ressorts et d'intrigues**: inventeur de manigances et de complots.
7. **Mérite**: talent.
8. **Chagrin**: contrariété.
9. **Démêlé**: désaccord.
10. **Je me dépitai de telle sorte contre l'ingratitude du siècle**: je fus si fâché par
le manque de reconnaissance de mon entourage.
11. **Baste**: cela suffit (interjection).
12. **Ne laissez pas**: continuez.

OCTAVE. – Tu sais, Scapin, qu'il y a deux mois que le seigneur Géronte, et mon père, s'embarquèrent ensemble
40 pour un voyage qui regarde certain commerce où leurs
intérêts sont mêlés.

SCAPIN. – Je sais cela.

OCTAVE. – Et que Léandre et moi nous fûmes laissés par
nos pères, moi sous la conduite de Silvestre, et Léandre
45 sous ta direction.

SCAPIN. – Oui : je me suis fort bien acquitté de ma charge.

OCTAVE. – Quelque temps après, Léandre fit rencontre
d'une jeune Égyptienne[1] dont il devint amoureux.

SCAPIN. – Je sais cela encore.

50 **OCTAVE**. – Comme nous sommes grands amis, il me fit aussitôt
confidence de son amour, et me mena voir cette fille, que
je trouvai belle à la vérité, mais non pas tant qu'il voulait
que je la trouvasse. Il ne m'entretenait que d'elle chaque
jour ; m'exagérait à tous moments sa beauté et sa grâce ; me
55 louait son esprit[2], et me parlait avec transport[3] des charmes
de son entretien[4], dont il me rapportait jusqu'aux moindres
paroles, qu'il s'efforçait toujours de me faire trouver les
plus spirituelles[5] du monde. Il me querellait[6] quelquefois
de n'être pas assez sensible aux choses qu'il me venait dire,

---

1. Égyptienne : bohémienne, gitane.
2. Me louait son esprit : me faisait l'éloge de son intelligence.
3. Avec transport : avec enthousiasme.
4. Entretien : conversation.
5. Spirituelles : intelligentes.
6. Querellait : ici, reprochait.

60 et me blâmait[1] sans cesse de l'indifférence où j'étais pour les feux de l'amour.

SCAPIN. – Je ne vois pas encore où ceci veut aller.

OCTAVE. – Un jour que je l'accompagnais pour aller chez les gens qui gardent l'objet de ses vœux[2], nous entendîmes
65 dans une petite maison d'une rue écartée, quelques plaintes mêlées de beaucoup de sanglots. Nous demandons ce que c'est. Une femme nous dit en soupirant, que nous pouvions voir là quelque chose de pitoyable[3] en des personnes étrangères ; et qu'à moins que d'être insensibles, nous en
70 serions touchés.

SCAPIN. – Où est-ce que cela nous mène ?

OCTAVE. – La curiosité me fit presser Léandre de voir ce que c'était. Nous entrons dans une salle, où nous voyons une vieille femme mourante, assistée d'une servante qui faisait
75 des regrets[4], et d'une jeune fille toute fondante en larmes, la plus belle, et la plus touchante qu'on puisse jamais voir.

SCAPIN. – Ah, ah !

OCTAVE. – Une autre aurait paru effroyable en l'état où elle était ; car elle n'avait pour habillement qu'une méchante[5]
80 petite jupe, avec des brassières de nuit qui étaient de simple futaine[6] ; et sa coiffure était une cornette[7] jaune, retroussée au haut de sa tête, qui laissait tomber en désordre, ses

---

1. **Me blâmait** : m'accusait.
2. **L'objet de ses vœux** : la femme qu'il aime.
3. **Pitoyable** : qui suscite la pitié, la compassion.
4. **Qui faisait des regrets** : qui se lamentait.
5. **Méchante** : de mauvaise qualité.
6. **Brassières de nuit** : chemise de nuit ; **futaine** : tissu très simple.
7. **Cornette** : bonnet de nuit porté par les femmes.

cheveux sur ses épaules ; et cependant, faite comme cela, elle brillait de mille attraits[1], et ce n'était qu'agréments[2]

85 et que charmes, que toute sa personne.

SCAPIN. – Je sens venir les choses.

OCTAVE. – Si tu l'avais vue, Scapin, en l'état que je dis, tu l'aurais trouvée admirable.

SCAPIN. – Oh ! je n'en doute point ; et sans l'avoir vue, je

90 vois bien qu'elle était tout à fait charmante.

OCTAVE. – Ses larmes n'étaient point de ces larmes désagréables, qui défigurent un visage ; elle avait à pleurer, une grâce touchante, et sa douleur était la plus belle du monde.

SCAPIN. – Je vois tout cela.

95 OCTAVE. – Elle faisait fondre chacun en larmes, en se jetant amoureusement sur le corps de cette mourante, qu'elle appelait sa chère mère ; et il n'y avait personne qui n'eût l'âme percée[3], de voir un si bon naturel[4].

SCAPIN. – En effet, cela est touchant ; et je vois bien que ce

100 bon naturel-là vous la fit aimer.

OCTAVE. – Ah ! Scapin, un barbare l'aurait aimée.

SCAPIN. – Assurément. Le moyen de s'en empêcher ?

OCTAVE. – Après quelques paroles, dont[5] je tâchai d'adoucir la douleur de cette charmante affligée[6], nous sortîmes de

---

1. **Attraits** : charmes.
2. **Agréments** : plaisirs.
3. **Il n'y avait personne qui n'eût l'âme percée** : personne n'y serait resté insensible.
4. **Un si bon naturel** : un caractère si doux, si bon.
5. **Dont** : ici, grâce auxquelles.
6. **Affligée** : malheureuse.

105 là ; et demandant à Léandre ce qu'il lui semblait de cette personne, il me répondit froidement qu'il la trouvait assez jolie. Je fus piqué[1] de la froideur avec laquelle il m'en parlait, et je ne voulus point lui découvrir l'effet que ses beautés avaient fait sur mon âme.

110 SILVESTRE. – Si vous n'abrégez ce récit, nous en voilà pour jusqu'à demain. Laissez-le-moi finir en deux mots. Son cœur prend feu dès ce moment. Il ne saurait plus vivre, qu'il n'aille[2] consoler son aimable affligée. Ses fréquentes visites sont rejetées de la servante, devenue la gouvernante par le 115 trépas[3] de la mère ; voilà mon homme au désespoir. Il presse, supplie, conjure[4] : point d'affaire. On lui dit que la fille, quoique sans bien, et sans appui[5], est de famille honnête ; et qu'à moins que de l'épouser, on ne peut souffrir ses poursuites[6]. Voilà son amour augmenté par les difficultés. 120 Il consulte dans sa tête, agite, raisonne, balance[7], prend sa résolution ; le voilà marié avec elle depuis trois jours.

SCAPIN. – J'entends[8].

SILVESTRE. – Maintenant mets avec cela le retour imprévu du père, qu'on n'attendait que dans deux mois ; la décou- 125 verte que l'oncle a faite du secret de notre mariage, et l'autre mariage qu'on veut faire de lui avec la fille que le

---

1. Piqué : vexé.
2. Il ne saurait plus vivre, qu'il n'aille : il ne pourrait vivre sans aller.
3. Trépas : mort.
4. Conjure : implore, supplie.
5. Quoique sans bien, et sans appui : même si elle n'a pas d'argent ni d'amis pouvant défendre sa cause ou l'aider.
6. Souffrir ses poursuites : tolérer ses tentatives de séduction.
7. Agite, raisonne, balance : examine la situation, réfléchit, hésite.
8. J'entends : je comprends.

seigneur Géronte a eue d'une seconde femme qu'on dit qu'il a épousée à Tarente.

OCTAVE. – Et par-dessus tout cela, mets encore l'indigence[1]
130 où se trouve cette aimable personne, et l'impuissance où je me vois d'avoir de quoi la secourir.

SCAPIN. – Est-ce là tout ? Vous voilà bien embarrassés tous deux pour une bagatelle[2]. C'est bien là de quoi se tant alarmer. N'as-tu point de honte, toi, de demeurer court[3] à
135 si peu de chose ? Que diable ! te voilà grand et gros comme père et mère, et tu ne saurais trouver dans ta tête, forger dans ton esprit quelque ruse galante, quelque honnête petit stratagème, pour ajuster vos affaires ? Fi ! peste soit du butor[4] ! Je voudrais bien que l'on m'eût donné autrefois nos
140 vieillards à duper[5] ; je les aurais joués tous deux par-dessous la jambe[6] ; et je n'étais pas plus grand que cela, que je me signalais déjà par cent tours d'adresse jolis[7].

SILVESTRE. – J'avoue que le Ciel ne m'a pas donné tes talents, et que je n'ai pas l'esprit, comme toi, de me brouiller avec
145 la justice.

OCTAVE. – Voici mon aimable Hyacinte.

---

1. **Indigence** : pauvreté.
2. **Bagatelle** : chose sans importance.
3. **Demeurer court** : être à court d'idées.
4. **Peste soit du butor** : maudit soit l'imbécile.
5. **Duper** : tromper.
6. **Je les aurais joués tous deux par-dessous la jambe** : je les aurais trompés tous les deux avec une grande facilité.
7. **Jolis** : amusants, réjouissants.

Scène 3

OCTAVE, SILVESTRE, SCAPIN, HYACINTE.

HYACINTE. – Ah! Octave, est-il vrai ce que Silvestre vient de dire à Nérine? que votre père est de retour, et qu'il veut vous marier?

OCTAVE. – Oui, belle Hyacinte, et ces nouvelles m'ont donné une atteinte[1] cruelle. Mais que vois-je? vous pleurez! Pourquoi ces larmes? Me soupçonnez-vous, dites-moi, de quelque infidélité, et n'êtes-vous pas assurée de l'amour que j'ai pour vous?

HYACINTE. – Oui, Octave, je suis sûre que vous m'aimez; mais je ne le suis pas que vous m'aimiez toujours.

OCTAVE. – Eh! peut-on vous aimer, qu'on ne vous aime toute sa vie?

HYACINTE. – J'ai ouï[2] dire, Octave, que votre sexe[3] aime moins longtemps que le nôtre, et que les ardeurs[4] que les hommes font voir, sont des feux qui s'éteignent aussi facilement qu'ils naissent.

OCTAVE. – Ah! ma chère Hyacinte, mon cœur n'est donc pas fait comme celui des autres hommes, et je sens bien pour moi que je vous aimerai jusqu'au tombeau.

---

1. **Atteinte**: blessure morale.
2. **Ouï**: entendu.
3. **Votre sexe**: le sexe masculin, les hommes.
4. **Les ardeurs**: la passion.

20 **HYACINTE**. – Je veux croire que vous sentez ce que vous dites, et je ne doute point que vos paroles ne soient sincères ; mais je crains un pouvoir qui combattra dans votre cœur les tendres sentiments que vous pouvez avoir pour moi. Vous dépendez d'un père, qui veut vous marier à 25 une autre personne ; et je suis sûre que je mourrai si ce malheur m'arrive.

OCTAVE. – Non, belle Hyacinte, il n'y a point de père qui puisse me contraindre à vous manquer de foi[1], et je me résoudrai à quitter mon pays, et le jour même[2], s'il est 30 besoin, plutôt qu'à vous quitter. J'ai déjà pris, sans l'avoir vue, une aversion[3] effroyable pour celle que l'on me destine ; et sans être cruel, je souhaiterais que la mer l'écartât d'ici pour jamais. Ne pleurez donc point, je vous prie, mon aimable Hyacinte, car vos larmes me tuent, et je ne les puis 35 voir sans me sentir percer le cœur.

HYACINTE. – Puisque vous le voulez, je veux bien essuyer mes pleurs, et j'attendrai d'un œil constant ce qu'il plaira au Ciel de résoudre de moi[4].

OCTAVE. – Le Ciel nous sera favorable.

40 **HYACINTE**. – Il ne saurait m'être contraire, si vous m'êtes fidèle.

OCTAVE. – Je le serai assurément.

HYACINTE. – Je serai donc heureuse.

---

1. **Manquer de foi** : trahir, manquer à ma parole.
2. **Et le jour même** : et même la vie.
3. **Aversion** : dégoût.
4. **J'attendrai d'un œil constant ce qu'il plaira au Ciel de résoudre de moi** : j'attendrai avec patience le sort que Dieu me réserve.

SCAPIN, *à part.* – Elle n'est point tant sotte, ma foi ! et je la trouve assez passable.

OCTAVE, *montrant Scapin.* – Voici un homme qui pourrait bien, s'il le voulait, nous être dans tous nos besoins, d'un secours merveilleux.

SCAPIN. – J'ai fait de grands serments de ne me mêler plus du monde[1] ; mais si vous m'en priez bien fort tous deux, peut-être…

OCTAVE. – Ah ! s'il ne tient qu'à te prier bien fort pour obtenir ton aide, je te conjure de tout mon cœur de prendre la conduite de notre barque.

SCAPIN, *à Hyacinte.* – Et vous, ne me dites-vous rien ?

HYACINTE. – Je vous conjure, à son exemple, par tout ce qui vous est le plus cher au monde, de vouloir servir notre amour.

SCAPIN. – Il faut se laisser vaincre, et avoir de l'humanité. Allez, je veux m'employer pour vous.

OCTAVE. – Crois que…

SCAPIN. – Chut ! *(Parlant à Hyacinte.)* Allez-vous-en, vous, et soyez en repos. *(À Octave.)* Et vous, préparez-vous à soutenir avec fermeté l'abord de votre père[2].

OCTAVE. – Je t'avoue que cet abord me fait trembler par avance, et j'ai une timidité naturelle que je ne saurais vaincre.

---

1. De ne me mêler plus du monde : de ne plus m'impliquer dans les affaires des autres.
2. Soutenir avec fermeté l'abord de votre père : affronter avec assurance l'arrivée de votre père.

SCAPIN. – Il faut pourtant paraître ferme au premier choc, de peur que, sur votre faiblesse, il ne prenne le pied de[1] vous mener comme un enfant. Là, tâchez de vous compo-
70 ser par étude[2]. Un peu de hardiesse, et songez à répondre résolument[3] sur tout ce qu'il pourra vous dire.

OCTAVE. – Je ferai du mieux que je pourrai.

SCAPIN. – Çà, essayons un peu, pour vous accoutumer. Répé-tons un peu votre rôle, et voyons si vous ferez bien. Allons.
75 La mine résolue, la tête haute, les regards assurés.

OCTAVE. – Comme cela?

SCAPIN. – Encore un peu davantage.

OCTAVE. – Ainsi?

SCAPIN. – Bon. Imaginez-vous que je suis votre père qui
80 arrive, et répondez-moi fermement comme si c'était à lui-même. «Comment, pendard, vaurien, infâme[4], fils indigne d'un père comme moi, oses-tu bien paraître devant mes yeux, après tes bons déportements[5], après le lâche tour que tu m'as joué pendant mon absence? Est-ce là le fruit
85 de mes soins, maraud[6]? est-ce là le fruit de mes soins? le respect qui m'est dû? le respect que tu me conserves?» Allons donc. «Tu as l'insolence, fripon, de t'engager sans

---

1. Il ne prenne le pied de: il ne se mette à.
2. Tâchez de vous composer par étude: entraînez-vous à vous donner une conte-nance, une apparence ferme.
3. Résolument: fermement.
4. Pendard, vaurien, infâme: série d'insultes soulignant la bassesse morale.
5. Déportements: écarts de conduite.
6. Le fruit de mes soins, maraud: ce que je récolte après tout ce que j'ai fait pour toi, vaurien.

le consentement[1] de ton père, de contracter un mariage
clandestin[2]? Réponds-moi, coquin[3], réponds-moi. Voyons
90 un peu tes belles raisons.» Oh! que diable! vous demeurez
interdit[4]!

OCTAVE. – C'est que je m'imagine que c'est mon père que
j'entends.

SCAPIN. – Eh! oui. C'est par cette raison qu'il ne faut pas
95 être comme un innocent[5].

OCTAVE. – Je m'en vais prendre plus de résolution, et je
répondrai fermement.

SCAPIN. – Assurément?

OCTAVE. – Assurément.

100 **SILVESTRE**. – Voilà votre père qui vient.

OCTAVE. – Ô Ciel! je suis perdu. *(Il s'enfuit.)*

SCAPIN. – Holà! Octave, demeurez[6]. Octave! Le voilà enfui.
Quelle pauvre espèce d'homme! Ne laissons pas d'attendre
le vieillard.

105 **SILVESTRE**. – Que lui dirai-je?

SCAPIN. – Laisse-moi dire, moi, et ne fais que me suivre.

---

1. **Consentement**: autorisation.
2. **Clandestin**: secret.
3. **Coquin**: personne malhonnête.
4. **Interdit**: sans voix.
5. **Innocent**: simple d'esprit.
6. **Demeurez**: restez ici.

Scène 4

SILVESTRE, SCAPIN, ARGANTE.

ARGANTE, *se croyant seul.* – A-t-on jamais ouï parler d'une action pareille à celle-là?

SCAPIN, *à Silvestre.* – Il a déjà appris l'affaire, et elle lui tient si fort en tête[1], que tout seul il en parle haut[2].

5 **ARGANTE,** *se croyant seul.* – Voilà une témérité[3] bien grande!

SCAPIN, *à Silvestre.* – Écoutons-le un peu.

ARGANTE, *se croyant seul.* – Je voudrais bien savoir ce qu'ils me pourront dire sur ce beau mariage.

SCAPIN, *à part.* – Nous y avons songé.

10 **ARGANTE,** *se croyant seul.* – Tâcheront-ils de me nier la chose?

SCAPIN, *à part.* – Non, nous n'y pensons pas.

ARGANTE, *se croyant seul.* – Ou s'ils entreprendront de l'excuser?

SCAPIN, *à part.* – Celui-là se pourra faire[4].

ARGANTE, *se croyant seul.* – Prétendront-ils m'amuser par
15 des contes en l'air[5]?

SCAPIN, *à part.* – Peut-être.

ARGANTE, *se croyant seul.* – Tous leurs discours seront inutiles.

---

1. **Elle lui tient si fort en tête**: elle occupe tant son esprit.
2. **Haut**: à voix haute.
3. **Témérité**: audace.
4. **Celui-là se pourra faire**: cela, c'est possible.
5. **Contes en l'air**: histoires invraisemblables.

SCAPIN, *à part.* – Nous allons voir.

ARGANTE, *se croyant seul.* – Ils ne m'en donneront point à garder[1].

20 SCAPIN, *à part.* – Ne jurons de rien.

ARGANTE, *se croyant seul.* – Je saurai mettre mon pendard de fils en lieu de sûreté.

SCAPIN, *à part.* – Nous y pourvoirons[2].

ARGANTE, *se croyant seul.* – Et pour le coquin de Silvestre, 25 je le rouerai de coups[3].

SILVESTRE, *à Scapin.* – J'étais bien étonné s'il m'oubliait.

ARGANTE, *apercevant Silvestre.* – Ah, ah! vous voilà donc, sage gouverneur de famille, beau directeur de jeunes gens.

SCAPIN. – Monsieur, je suis ravi de vous voir de retour.

30 ARGANTE. – Bonjour, Scapin. *(À Silvestre.)* Vous avez suivi mes ordres vraiment d'une belle manière, et mon fils s'est comporté fort sagement pendant mon absence.

SCAPIN. – Vous vous portez bien, à ce que je vois?

ARGANTE. – Assez bien. *(À Silvestre.)* Tu ne dis mot, coquin, 35 tu ne dis mot.

SCAPIN. – Votre voyage a-t-il été bon?

ARGANTE. – Mon Dieu! fort bon. Laisse-moi un peu quereller en repos[4].

---

1. **Ils ne m'en donneront point à garder**: ils ne me feront pas croire n'importe quoi.
2. **Nous y pourvoirons**: nous ferons le nécessaire pour cela.
3. **Rouerai de coups**: battrai violemment.
4. **Quereller en repos**: me disputer tranquillement, comme j'en ai envie.

SCAPIN. – Vous voulez quereller?

40 **ARGANTE.** – Oui, je veux quereller.

SCAPIN. – Et qui, Monsieur?

ARGANTE. – Ce maraud-là.

SCAPIN. – Pourquoi?

ARGANTE. – Tu n'as pas ouï parler de ce qui s'est passé dans
45 mon absence?

SCAPIN. – J'ai bien ouï parler de quelque petite chose.

ARGANTE. – Comment quelque petite chose! Une action
de cette nature?

SCAPIN. – Vous avez quelque raison.

50 **ARGANTE.** – Une hardiesse pareille à celle-là?

SCAPIN. – Cela est vrai.

ARGANTE. – Un fils qui se marie sans le consentement de
son père?

SCAPIN. – Oui, il y a quelque chose à dire à cela. Mais je
55 serais d'avis que vous ne fissiez point de bruit[1].

ARGANTE. – Je ne suis pas de cet avis, moi, et je veux faire
du bruit tout mon soûl[2]. Quoi? tu ne trouves pas que j'aie
tous les sujets du monde d'être en colère?

SCAPIN. – Si fait, j'y ai d'abord été, moi, lorsque j'ai su la
60 chose, et je me suis intéressé pour vous[3], jusqu'à quereller

---

1. **Que vous ne fissiez point de bruit**: que vous ne fassiez pas de scandale.
2. **Tout mon soûl**: autant que je le souhaite.
3. **Je me suis intéressé pour vous**: je vous ai défendu, j'ai pris votre parti.

votre fils. Demandez-lui un peu quelles belles réprimandes je lui ai faites, et comme je l'ai chapitré[1] sur le peu de respect qu'il gardait à un père, dont il devrait baiser les pas. On ne peut pas lui mieux parler, quand ce serait vous-même[2].
65 Mais quoi? je me suis rendu à la raison, et j'ai considéré que dans le fond, il n'a pas tant de tort qu'on pourrait croire.

ARGANTE. – Que me viens-tu conter? Il n'a pas tant de tort de s'aller marier de but en blanc[3] avec une inconnue?

SCAPIN. – Que voulez-vous? il y a été poussé par sa destinée.

70 ARGANTE. – Ah, ah! voici une raison la plus belle du monde. On n'a plus qu'à commettre tous les crimes imaginables, tromper, voler, assassiner, et dire pour excuse, qu'on y a été poussé par sa destinée.

SCAPIN. – Mon Dieu! vous prenez mes paroles trop en phi-
75 losophe[4]. Je veux dire qu'il s'est trouvé fatalement engagé dans cette affaire.

ARGANTE. – Et pourquoi s'y engageait-il?

SCAPIN. – Voulez-vous qu'il soit aussi sage que vous? Les jeunes gens sont jeunes, et n'ont pas toute la prudence
80 qu'il leur faudrait, pour ne rien faire que de raisonnable[5]: témoin notre Léandre, qui, malgré toutes mes leçons, malgré toutes mes remontrances, est allé faire de son côté pis[6] encore que votre fils. Je voudrais bien savoir si vous-même n'avez pas été jeune, et n'avez pas dans votre temps fait des

---

1. **Chapitré**: sermonné, fait la leçon.
2. **Quand ce serait vous-même**: même si vous lui parliez vous-même.
3. **De but en blanc**: soudain, sans réfléchir.
4. **Philosophe**: ici, personne savante qui étudie, réfléchit.
5. **Pour ne rien faire que de raisonnable**: pour ne faire que ce qui est raisonnable.
6. **Pis**: pire.

85 fredaines[1] comme les autres. J'ai ouï dire, moi, que vous
avez été autrefois un bon compagnon parmi les femmes[2],
que vous faisiez de votre drôle avec les plus galantes[3] de
ce temps-là, et que vous n'en approchiez point que vous
ne poussassiez à bout[4].

90 ARGANTE. – Cela est vrai, j'en demeure d'accord ; mais je
m'en suis toujours tenu à la galanterie, et je n'ai point été
jusqu'à faire ce qu'il a fait.

SCAPIN. – Que vouliez-vous qu'il fît ? Il voit une jeune personne qui lui veut du bien (car il tient de vous, d'être aimé
95 de toutes les femmes). Il la trouve charmante ; il lui rend
des visites, lui conte des douceurs, soupire galamment,
fait le passionné. Elle se rend à sa poursuite[5]. Il pousse sa
fortune[6]. Le voilà surpris avec elle par ses parents, qui la
force à la main[7] le contraignent de l'épouser.

100 SILVESTRE, *à part*. – L'habile fourbe[8] que voilà !

SCAPIN. – Eussiez-vous voulu qu'il se fût laissé tuer ? Il vaut
mieux encore être marié qu'être mort.

ARGANTE. – On ne m'a pas dit que l'affaire se soit ainsi passée.

SCAPIN, *montrant Silvestre*. – Demandez-lui plutôt. Il ne vous
105 dira pas le contraire.

1. **Fredaines** : bêtises.
2. **Un bon compagnon parmi les femmes** : un séducteur.
3. **Vous faisiez de votre drôle avec les plus galantes** : vous vous amusiez avec les femmes les plus coquettes, les plus séductrices.
4. **Que vous n'en approchiez point que vous ne poussassiez à bout** : quand vous tentiez de séduire une femme, vous arriviez à vos fins.
5. **Elle se rend à sa poursuite** : elle cède à ses avances.
6. **Il pousse sa fortune** : il profite de sa chance.
7. **La force à la main** : sous la menace d'une arme.
8. **Fourbe** : traître, trompeur.

ARGANTE, *à Silvestre*. – C'est par force qu'il a été marié ?

SILVESTRE. – Oui, Monsieur.

SCAPIN. – Voudrais-je vous mentir ?

ARGANTE. – Il devait donc aller tout aussitôt protester de
110 violence chez un notaire[1].

SCAPIN. – C'est ce qu'il n'a pas voulu faire.

ARGANTE. – Cela m'aurait donné plus de facilité à rompre
ce mariage.

SCAPIN. – Rompre ce mariage !

115 ARGANTE. – Oui.

SCAPIN. – Vous ne le romprez point.

ARGANTE. – Je ne le romprai point ?

SCAPIN. – Non.

ARGANTE. – Quoi ? je n'aurai pas pour moi les droits de
120 père, et la raison de la violence qu'on a faite à mon fils ?

SCAPIN. – C'est une chose dont il ne demeurera pas d'accord.

ARGANTE. – Il n'en demeurera pas d'accord ?

SCAPIN. – Non.

ARGANTE. – Mon fils ?

125 SCAPIN. – Votre fils. Voulez-vous qu'il confesse[2] qu'il ait été
capable de crainte, et que ce soit par force qu'on lui ait fait

---

1. Protester de : porter plainte pour ; **notaire** : personne chargée d'interpréter et
d'appliquer la loi.
2. Confesse : avoue.

faire les choses ? Il n'a garde[1] d'aller avouer cela. Ce serait se faire tort, et se montrer indigne d'un père comme vous.

ARGANTE. – Je me moque de cela.

130 SCAPIN. – Il faut, pour son honneur, et pour le vôtre, qu'il dise dans le monde que c'est de bon gré[2] qu'il l'a épousée.

ARGANTE. – Et je veux, moi, pour mon honneur et pour le sien, qu'il dise le contraire.

SCAPIN. – Non, je suis sûr qu'il ne le fera pas.

135 ARGANTE. – Je l'y forcerai bien.

SCAPIN. – Il ne le fera pas, vous dis-je.

ARGANTE. – Il le fera, ou je le déshériterai.

SCAPIN. – Vous ?

ARGANTE. – Moi.

140 SCAPIN. – Bon.

ARGANTE. – Comment, bon ?

SCAPIN. – Vous ne le déshériterez point.

ARGANTE. – Je ne le déshériterai point ?

SCAPIN. – Non.

145 ARGANTE. – Non ?

SCAPIN. – Non.

---

1. **Il n'a garde** : il se garde bien.
2. **De bon gré** : par sa volonté.

ARGANTE. – Hoy! Voici qui est plaisant[1] : je ne déshériterai pas mon fils.

SCAPIN. – Non, vous dis-je.

150 ARGANTE. – Qui m'en empêchera?

SCAPIN. – Vous-même.

ARGANTE. – Moi?

SCAPIN. – Oui. Vous n'aurez pas ce cœur-là.

ARGANTE. – Je l'aurai.

155 SCAPIN. – Vous vous moquez.

ARGANTE. – Je ne me moque point.

SCAPIN. – La tendresse paternelle fera son office[2].

ARGANTE. – Elle ne fera rien.

SCAPIN. – Oui, oui.

160 ARGANTE. – Je vous dis que cela sera.

SCAPIN. – Bagatelles.

ARGANTE. – Il ne faut point dire bagatelles.

SCAPIN. – Mon Dieu! je vous connais, vous êtes bon naturellement.

165 ARGANTE. – Je ne suis point bon, et je suis méchant quand je veux. Finissons ce discours qui m'échauffe la bile[3].

---

1. **Plaisant** : drôle, amusant (ironique).
2. **Office** : devoir.
3. **M'échauffe la bile** : me met en colère.

(À Silvestre.) Va-t'en, pendard, va-t'en me chercher mon fripon, tandis que j'irai rejoindre le seigneur Géronte, pour lui conter ma disgrâce[1].

170 **SCAPIN.** – Monsieur, si je vous puis être utile en quelque chose, vous n'avez qu'à me commander.

ARGANTE. – Je vous remercie. *(À part.)* Ah! pourquoi faut-il qu'il soit fils unique! et que n'ai-je à cette heure la fille que le Ciel m'a ôtée, pour la faire mon héritière!

Scène 5
SILVESTRE, SCAPIN.

SILVESTRE. – J'avoue que tu es un grand homme, et voilà l'affaire en bon train[2]; mais l'argent d'autre part nous presse[3] pour notre subsistance, et nous avons de tous côtés des gens qui aboient après nous.

5 **SCAPIN.** – Laisse-moi faire, la machine est trouvée. Je cherche seulement dans ma tête un homme qui nous soit affidé[4], pour jouer un personnage dont j'ai besoin. Attends. Tiens-toi un peu. Enfonce ton bonnet en méchant garçon. Campe-toi

---

1. **Disgrâce**: malheur, mésaventure.
2. **En bon train**: bien engagée, bien partie.
3. **L'argent [...] nous presse**: nous avons un besoin urgent d'argent.
4. **Affidé**: fidèle, complice.

sur un pied. Mets la main au côté. Fais les yeux furibonds[1].
10 Marche un peu en roi de théâtre. Voilà qui est bien. Suis-
moi. J'ai des secrets pour déguiser ton visage et ta voix.

SILVESTRE. – Je te conjure au moins de ne m'aller point
brouiller avec la justice.

SCAPIN. – Va, va : nous partagerons les périls[2] en frères ; et
15 trois ans de galère[3] de plus ou de moins ne sont pas pour
arrêter un noble cœur.

---

1. **Furibonds** : furieux.
2. **Périls** : dangers.
3. **Galère** : bateau sur lequel des condamnés effectuaient leur peine.

Un quiz pour commencer

Cochez les bonnes réponses.

1 *Dans quelle ville la pièce se déroule-t-elle ?*

- ❑ À Paris.
- ❑ À Venise.
- ☒ À Naples.

2 *Quelle nouvelle Octave apprend-il au début de la pièce ?*

- ❑ Son père est décédé.
- ☒ Son père revient de voyage.
- ❑ Son père va se marier.

3 *Quel est le projet du père d'Octave ?*

- ☒ Marier son fils à la fille de Géronte.
- ❑ Envoyer son fils à la guerre.
- ❑ Donner sa fortune à Scapin.

4 *Quel lien unit Octave et Léandre ?*

- ☐ Ils sont cousins.
- ☒ Ils sont amis.
- ☐ Ils sont frères.

5 *De qui Léandre est-il amoureux ?*

- ☐ D'une jeune bohémienne.
- ? ☐ De Hyacinte.
- ☐ D'une comédienne.

6 *Qui sont Scapin et Silvestre ?*

- ☐ Les cousins de Léandre et d'Octave.
- ☒ Les valets de Léandre et d'Octave.
- ☐ Les pères de Hyacinte et de la jeune Égyptienne.

7 *À qui Octave demande-t-il de l'aide ?*

- ☐ À Géronte.
- ☒ À Scapin.
- ☐ À Léandre.

8 *Pourquoi Argante est-il en colère contre son fils ?*

- ☐ Parce que son fils ne paraît pas se réjouir de son retour.
- ☐ Parce que son fils a dépensé toute sa fortune.
- ☒ Parce que son fils s'est marié sans son autorisation.

Des questions pour aller plus loin

→ *Découvrir l'exposition de la pièce*

Des amours contrariées

1 Quelles informations les scènes 1 et 2 apportent-elles au spectateur sur les amours d'Octave et de Léandre ? Pourquoi chacun d'eux risque-t-il de se trouver en désaccord avec son père ?

2 À la scène 2, qu'apprend le spectateur sur la situation de Hyacinte ? Quel effet Octave cherche-t-il à produire par son récit (l. 63-109) ?

3 Quel problème les valets espèrent-ils résoudre en trompant Argante et Géronte (scène 5) ? Quelles autres motivations ont-ils ?

Des personnages de comédie

4 Dans la scène 1, à quoi voit-on qu'Octave est le maître de Silvestre ? Ont-ils tous deux les mêmes craintes ? Justifiez votre réponse en citant les expressions qu'ils emploient.

5 Que craignent Octave et Silvestre de la part d'Argante (scène 1, l. 31-37) ? Quels traits de caractère d'Argante sont ainsi révélés ?

6 Dans la scène 2 (l. 75-85), relevez les expressions qu'Octave emploie pour décrire Hyacinte. Que pensez-vous du ton et des images qu'il utilise ?

7 (Lecture d'images) Observez le document qui se trouve en haut de la page II du cahier photos : à quelles vignettes pouvez-vous associer les personnages rencontrés dans l'acte I ? Expliquez pourquoi.

Scapin, un valet rusé et inventif

8 Quel est le champ lexical dominant dans les lignes 18 à 28 de la scène 2 ? Justifiez votre réponse par quelques citations.

9 Dans la scène 3 (l. 62-64), quel mode verbal Scapin emploie-t-il ? Quelle impression donne-t-il ainsi ?

10 Dans la scène 5, Scapin expose une partie de sa stratégie : sur quoi repose-t-elle ? Quel rôle Scapin se donne-t-il ?

oom sur la scène 4 (p. 24-32)

11 À qui Argante et Scapin s'adressent-ils au début de la scène 4 ? Comment appelle-t-on ce procédé au théâtre et quel effet produit-il ?

12 Le rusé Scapin emploie sept arguments pour défendre Octave auprès d'Argante. Retrouvez-les.

13 En observant la longueur des répliques et les répétitions de mots des lignes 36 à 57, montrez que le dialogue est tendu et rythmé. Selon vous, comment les comédiens doivent-ils jouer ce passage ?

✔ Rappelez-vous !

• Dans une pièce de théâtre, les premières scènes sont appelées des **scènes d'exposition**. Elles fournissent au spectateur les informations nécessaires à la compréhension de l'intrigue.

• Dans l'acte I des *Fourberies de Scapin*, le spectateur découvre **des personnages habituels de la comédie** : deux jeunes hommes vont s'opposer à leurs pères, qui veulent les marier contre leur volonté. Léandre et Octave vont faire appel au valet Scapin pour parvenir à leurs fins.

De la lecture à l'écriture

✎ *Des mots pour mieux écrire*

1 a. Les adjectifs inscrits dans le tableau suivant expriment des traits de caractère. Recopiez et complétez le tableau.

	Synonyme	Antonyme
Colérique		
Malicieux		
Peureux		
Prudent		

b. Reliez chacun de ces adjectifs au personnage de la pièce qu'il peut qualifier.

Peureux   •   •   Scapin

Prudent   •   •   Argante

Colérique   •   •   Silvestre

Malicieux   •   •   Octave

2 ✍ À l'aide d'un dictionnaire italien-français et d'un dictionnaire grec-français que vous trouverez sur Internet, complétez le tableau suivant après l'avoir recopié.

Nom du personnage	Mot d'origine	Langue	Signification du mot d'origine
Scapin		italien	
Géronte		grec ancien	

À vous d'écrire

1 Dans la première scène, Octave évoque une lettre dans laquelle son père avertit l'oncle d'Octave de son retour. Imaginez cette lettre.

Consigne. Rédigez une lettre d'une quinzaine de lignes. Argante rappellera les raisons de son voyage et expliquera ses projets pour son fils. Respectez les règles de présentation d'une lettre. Écrivez au présent et au passé composé, et employez la première personne du singulier et la deuxième personne du pluriel (Argante vouvoie son frère).

2 Imaginez qu'Octave n'ait pas le temps de s'enfuir à la fin de la scène 3 et qu'il soit obligé d'affronter son père. Rédigez le dialogue entre le père et le fils sous la forme d'une scène comique.

Consigne. Votre dialogue, d'une vingtaine de répliques, respectera la présentation d'une scène de théâtre. Tenez compte des informations données sur les personnages et sur la situation.

Du texte à l'image

• Scapin (Arnaud Denis) et Géronte (Jean-Pierre Leroux) dans la mise en scène d'Arnaud Denis, théâtre Lucernaire, Paris, 2006.
• Argante (Christian Blanc) et Scapin (Philippe Torreton) dans la mise en scène de Jean-Louis Benoit, Comédie-Française, Paris, 1997.
➡ **Images reproduites en début d'ouvrage, au verso de la couverture.**

👁 Lire l'image

1 Décrivez précisément les photographies (personnages, costumes, couleurs dominantes, expression des personnages). Quels sont les points communs de ces deux images ?

2 Quelle impression chacun des personnages des deux photographies donne-t-il ? Quels traits de caractère les expressions de leurs visages soulignent-elles ?

3 Sur chacune de ces photographies, quel rapport de force existe entre le personnage le plus jeune et l'homme plus âgé ? Quelle semble être leur relation ? Expliquez.

📰 *Comparer le texte et l'image*

4 Identifiez les personnages de la pièce représentés sur la photographie du bas. À quel passage de l'acte I peut-elle correspondre ?

5 Quels traits de caractère de Scapin ces photographies illustrent-elles ?

📝 *À vous de créer*

6 Vous êtes metteur en scène. Vous décidez de travailler sur un extrait de la scène 4. Choisissez une dizaine de répliques qui vous semblent intéressantes. Réalisez un croquis afin de préparer votre mise en scène : décidez comment seront placés Argante et Scapin dans ce passage, quels costumes ils porteront, quelles expressions auront leurs visages.

ACTE II

Scène 1

GÉRONTE, ARGANTE.

GÉRONTE. – Oui, sans doute, par le temps qu'il fait, nous aurons ici nos gens[1] aujourd'hui ; et un matelot qui vient de Tarente m'a assuré qu'il avait vu mon homme qui était près de s'embarquer. Mais l'arrivée de ma fille trouvera
5 les choses mal disposées à ce que nous nous proposions[2] ; et ce que vous venez de m'apprendre de votre fils, rompt[3] étrangement les mesures que nous avions prises ensemble.

ARGANTE. – Ne vous mettez pas en peine ; je vous réponds[4] de renverser tout cet obstacle, et j'y vais travailler de ce pas.

10 **GÉRONTE**. – Ma foi ! seigneur Argante, voulez-vous que je vous dise ? l'éducation des enfants est une chose à quoi il faut s'attacher fortement.

---

1. Nos gens : ici, notre famille et nos domestiques.
2. Trouvera les choses mal disposées à ce que nous nous proposions : ne se fait pas dans les conditions que nous avions prévues.
3. Rompt : annule.
4. Réponds : promets.

ARGANTE. – Sans doute. À quel propos cela?

GÉRONTE. – À propos de ce que les mauvais déportements
des jeunes gens viennent le plus souvent de la mauvaise
éducation que leurs pères leur donnent.

ARGANTE. – Cela arrive parfois. Mais que voulez-vous dire
par là?

GÉRONTE. – Ce que je veux dire par là?

ARGANTE. – Oui.

GÉRONTE. – Que si vous aviez en brave père, bien morigéné[1]
votre fils, il ne vous aurait pas joué le tour qu'il vous a fait.

ARGANTE. – Fort bien. De sorte donc que vous avez bien
mieux morigéné le vôtre?

GÉRONTE. – Sans doute, et je serais bien fâché qu'il m'eût
rien fait[2] approchant de cela.

ARGANTE. – Et si ce fils que vous avez, en brave père, si bien
morigéné, avait fait pis encore que le mien? eh?

GÉRONTE. – Comment?

ARGANTE. – Comment?

GÉRONTE. – Qu'est-ce que cela veut dire?

ARGANTE. – Cela veut dire, seigneur Géronte, qu'il ne faut
pas être si prompt[3] à condamner la conduite des autres; et

---

1. **Morigéné**: éduqué.
2. **Qu'il m'eût rien fait**: s'il m'avait fait quelque chose.
3. **Prompt**: rapide, empressé.

que ceux qui veulent gloser[1], doivent bien regarder chez
35 eux, s'il n'y a rien qui cloche.

Géronte. – Je n'entends point cette énigme.

Argante. – On vous l'expliquera.

Géronte. – Est-ce que vous auriez ouï dire quelque chose
de mon fils?

40 **Argante.** – Cela se peut faire.

Géronte. – Et quoi encore?

Argante. – Votre Scapin, dans mon dépit, ne m'a dit la
chose qu'en gros; et vous pourrez de lui, ou de quelque
autre, être instruit du détail. Pour moi, je vais vite consulter
45 un avocat, et aviser des biais que j'ai à prendre[2]. Jusqu'au
revoir.

Scène 2

Géronte, Léandre.

Géronte. – Que pourrait-ce être que cette affaire-ci? Pis
encore que le sien! Pour moi, je ne vois pas ce que l'on peut
faire de pis; et je trouve que se marier sans le consentement

---

1. Gloser: critiquer.
2. Aviser des biais que j'ai à prendre: réfléchir aux moyens, aux solutions que je
peux trouver.

de son père, est une action qui passe tout ce qu'on peut
5 s'imaginer. Ah! vous voilà.

LÉANDRE, *en courant à lui pour l'embrasser.* – Ah! mon père,
que j'ai de joie de vous voir de retour!

GÉRONTE, *refusant de l'embrasser.* – Doucement. Parlons un
peu d'affaire.

10 **LÉANDRE.** – Souffrez que je vous embrasse, et que…

GÉRONTE, *le repoussant encore.* – Doucement, vous dis-je.

LÉANDRE. – Quoi? vous me refusez, mon père, de vous
exprimer mon transport par mes embrassements!

GÉRONTE. – Oui: nous avons quelque chose à démêler
15 ensemble.

LÉANDRE. – Et quoi?

GÉRONTE. – Tenez-vous, que je vous voie en face.

LÉANDRE. – Comment?

GÉRONTE. – Regardez-moi entre deux yeux.

20 **LÉANDRE.** – Hé bien?

GÉRONTE. – Qu'est-ce donc qui s'est passé ici?

LÉANDRE. – Ce qui s'est passé?

GÉRONTE. – Oui. Qu'avez-vous fait pendant mon absence?

LÉANDRE. – Que voulez-vous, mon père, que j'aie fait?

25 **GÉRONTE.** – Ce n'est pas moi qui veux que vous ayez fait,
mais qui demande ce que c'est que vous avez fait.

LÉANDRE. – Moi, je n'ai fait aucune chose dont vous ayez lieu de vous plaindre.

GÉRONTE. – Aucune chose ?

30 **LÉANDRE**. – Non.

GÉRONTE. – Vous êtes bien résolu[1].

LÉANDRE. – C'est que je suis sûr de mon innocence.

GÉRONTE. – Scapin pourtant a dit de vos nouvelles.

LÉANDRE. – Scapin !

35 **GÉRONTE**. – Ah, ah ! ce mot vous fait rougir.

LÉANDRE. – Il vous a dit quelque chose de moi ?

GÉRONTE. – Ce lieu n'est pas tout à fait propre à vider cette affaire, et nous allons l'examiner ailleurs. Qu'on se rende au logis. J'y vais revenir tout à l'heure[2]. Ah ! traître, s'il faut 40 que tu me déshonores, je te renonce pour mon fils[3], et tu peux bien pour jamais te résoudre à fuir de ma présence.

---

1. **Résolu** : sûr de vous.
2. **Tout à l'heure** : tout de suite.
3. **Je te renonce pour mon fils** : je ne te reconnais plus comme mon fils, tu n'es plus mon fils.

Scène 3

LÉANDRE, OCTAVE, SCAPIN.

LÉANDRE, *seul.* – Me trahir de cette manière ! Un coquin qui doit, par cent raisons, être le premier à cacher les choses que je lui confie, est le premier à les aller découvrir à mon père. Ah ! je jure le Ciel que cette trahison ne demeurera
5 pas impunie.

OCTAVE. – Mon cher Scapin, que ne dois-je point à tes soins ! Que tu es un homme admirable ! et que le Ciel m'est favorable de t'envoyer à mon secours !

LÉANDRE. – Ah, ah ! vous voilà. Je suis ravi de vous trouver,
10 Monsieur le coquin.

SCAPIN. – Monsieur, votre serviteur. C'est trop d'honneur que vous me faites.

LÉANDRE, *en mettant l'épée à la main.* – Vous faites le méchant plaisant[1]. Ah ! je vous apprendrai…

15 **SCAPIN,** *se mettant à genoux.* – Monsieur.

OCTAVE, *se mettant entre eux deux, pour empêcher Léandre de le frapper.* – Ah ! Léandre.

LÉANDRE. – Non, Octave, ne me retenez point, je vous prie.

SCAPIN, *à Léandre.* – Eh ! Monsieur.

20 **OCTAVE,** *le retenant.* – De grâce.

---

1. **Le méchant plaisant** : le plaisantin, le malin.

LÉANDRE, *voulant frapper Scapin.* – Laissez-moi contenter mon ressentiment[1].

OCTAVE. – Au nom de l'amitié, Léandre, ne le maltraitez point.

25 SCAPIN. – Monsieur, que vous ai-je fait?

LÉANDRE, *voulant le frapper.* – Ce que tu m'as fait, traître?

OCTAVE, *le retenant.* – Eh! doucement.

LÉANDRE. – Non, Octave, je veux qu'il me confesse lui-même tout à l'heure la perfidie[2] qu'il m'a faite. Oui, coquin, je
30 sais le trait[3] que tu m'as joué, on vient de me l'apprendre; et tu ne croyais pas peut-être que l'on me dût révéler ce secret; mais je veux en avoir la confession de ta propre bouche, ou je vais te passer cette épée au travers du corps.

SCAPIN. – Ah! Monsieur, auriez-vous bien ce cœur-là?

35 LÉANDRE. – Parle donc.

SCAPIN. – Je vous ai fait quelque chose, Monsieur?

LÉANDRE. – Oui, coquin, et ta conscience ne te dit que trop ce que c'est.

SCAPIN. – Je vous assure que je l'ignore.

40 LÉANDRE, *s'avançant pour le frapper.* – Tu l'ignores!

OCTAVE, *le retenant.* – Léandre.

---

1. **Ressentiment**: rancune.
2. **Perfidie**: trahison.
3. **Trait**: tour.

SCAPIN. – Hé bien ! Monsieur, puisque vous le voulez, je vous confesse que j'ai bu avec mes amis ce petit quartaut[1] de vin d'Espagne dont on vous fit présent il y a quelques jours ; et
45 que c'est moi qui fis une fente au tonneau, et répandis de l'eau autour, pour faire croire que le vin s'était échappé.

LÉANDRE. – C'est toi, pendard, qui m'as bu mon vin d'Espagne, et qui as été cause que j'ai tant querellé la servante, croyant que c'était elle qui m'avait fait le tour ?

50 SCAPIN. – Oui, Monsieur ; je vous en demande pardon.

LÉANDRE. – Je suis bien aise d'apprendre cela ; mais ce n'est pas l'affaire dont il est question maintenant.

SCAPIN. – Ce n'est pas cela, Monsieur ?

LÉANDRE. – Non ; c'est une autre affaire qui me touche bien
55 plus, et je veux que tu me la dises.

SCAPIN. – Monsieur, je ne me souviens pas d'avoir fait autre chose.

LÉANDRE, *le voulant frapper.* – Tu ne veux pas parler ?

SCAPIN. – Eh !

60 OCTAVE, *le retenant.* – Tout doux.

SCAPIN. – Oui, Monsieur, il est vrai qu'il y a trois semaines que vous m'envoyâtes porter, le soir, une petite montre à la jeune Égyptienne que vous aimez. Je revins au logis mes habits tout couverts de boue, et le visage plein de sang, et
65 vous dis que j'avais trouvé des voleurs qui m'avaient bien

---

1. **Petit quartaut** : petit tonneau.

battu, et m'avaient dérobé la montre. C'était moi, Monsieur, qui l'avais retenue[1].

LÉANDRE. – C'est toi qui as retenu ma montre ?

SCAPIN. – Oui, Monsieur, afin de voir quelle heure il est.

70 LÉANDRE. – Ah, ah ! j'apprends ici de jolies choses, et j'ai un serviteur fort fidèle vraiment. Mais ce n'est pas encore cela que je demande.

SCAPIN. – Ce n'est pas cela ?

LÉANDRE. – Non, infâme, c'est autre chose encore que je
75 veux que tu me confesses.

SCAPIN, *à part*. – Peste !

LÉANDRE. – Parle vite, j'ai hâte.

SCAPIN. – Monsieur, voilà tout ce que j'ai fait.

LÉANDRE, *voulant frapper Scapin*. – Voilà tout ?

80 OCTAVE, *se mettant au-devant*. – Eh !

SCAPIN. – Hé bien ! oui, Monsieur ; vous vous souvenez de ce loup-garou, il y a six mois, qui vous donna tant de coups de bâton la nuit, et vous pensa faire rompre le cou dans une cave où vous tombâtes en fuyant.

85 LÉANDRE. – Hé bien ?

SCAPIN. – C'était moi, Monsieur, qui faisais le loup-garou.

LÉANDRE. – C'était toi, traître, qui faisais le loup-garou ?

---

1. **Retenue** : gardée.

SCAPIN. – Oui, Monsieur, seulement pour vous faire peur, et vous ôter l'envie de nous faire courir toutes les nuits, comme vous aviez de coutume.

LÉANDRE. – Je saurai me souvenir en temps et lieu de tout ce que je viens d'apprendre. Mais je veux venir au fait, et que tu me confesses ce que tu as dit à mon père.

SCAPIN. – À votre père ?

LÉANDRE. – Oui, fripon, à mon père.

SCAPIN. – Je ne l'ai pas seulement vu depuis son retour.

LÉANDRE. – Tu ne l'as pas vu ?

SCAPIN. – Non, Monsieur.

LÉANDRE. – Assurément ?

SCAPIN. – Assurément. C'est une chose que je vais vous faire dire par lui-même.

LÉANDRE. – C'est de sa bouche que je le tiens pourtant.

SCAPIN. – Avec votre permission, il n'a pas dit la vérité.

Scène 4

LÉANDRE, OCTAVE, SCAPIN, CARLE.

CARLE, *à Léandre.* – Monsieur, je vous apporte une nouvelle qui est fâcheuse pour votre amour.

LÉANDRE. – Comment?

CARLE. – Vos Égyptiens sont sur le point de vous enlever
5 Zerbinette; et elle-même, les larmes aux yeux, m'a chargé de venir promptement vous dire, que si dans deux heures vous ne songez à leur porter l'argent qu'ils vous ont demandé pour elle, vous l'allez perdre pour jamais.

LÉANDRE. – Dans deux heures?

10 CARLE. – Dans deux heures.

LÉANDRE. – Ah! mon pauvre Scapin, j'implore ton secours.

SCAPIN, *passant devant lui avec un air fier.* – «Ah! mon pauvre Scapin.» Je suis «mon pauvre Scapin» à cette heure qu'on a besoin de moi.

15 LÉANDRE. – Va, je te pardonne tout ce que tu viens de me dire, et pis encore, si tu me l'as fait.

SCAPIN. – Non, non, ne me pardonnez rien. Passez-moi votre épée au travers du corps. Je serai ravi que vous me tuiez.

LÉANDRE. – Non. Je te conjure plutôt de me donner la vie,
20 en servant mon amour.

SCAPIN. – Point, point: vous ferez mieux de me tuer.

LÉANDRE. – Tu m'es trop précieux ; et je te prie de vouloir employer pour moi ce génie admirable, qui vient à bout de toute chose.

25 SCAPIN. – Non, tuez-moi, vous dis-je.

LÉANDRE. – Ah ! de grâce, ne songe plus à tout cela, et pense à me donner le secours que je te demande.

OCTAVE. – Scapin, il faut faire quelque chose pour lui.

SCAPIN. – Le moyen[1], après une avanie[2] de la sorte ?

30 LÉANDRE. – Je te conjure d'oublier mon emportement, et de me prêter ton adresse[3].

OCTAVE. – Je joins mes prières aux siennes.

SCAPIN. – J'ai cette insulte-là sur le cœur.

OCTAVE. – Il faut quitter ton ressentiment.

35 LÉANDRE. – Voudrais-tu m'abandonner, Scapin, dans la cruelle extrémité où se voit mon amour ?

SCAPIN. – Me venir faire à l'improviste[4] un affront comme celui-là !

LÉANDRE. – J'ai tort, je le confesse.

40 SCAPIN. – Me traiter de coquin, de fripon, de pendard, d'infâme !

LÉANDRE. – J'en ai tous les regrets du monde.

---

1. **Le moyen** : comment faire.
2. **Avanie** : humiliation, vexation.
3. **Adresse** : habileté.
4. **À l'improviste** : sans prévenir.

SCAPIN. – Me vouloir passer son épée au travers du corps !

LÉANDRE. – Je t'en demande pardon de tout mon cœur ;
45 et s'il ne tient qu'à me jeter à tes genoux, tu m'y vois,
Scapin, pour te conjurer encore une fois de ne me point
abandonner.

OCTAVE. – Ah ! ma foi ! Scapin, il se faut rendre[1] à cela.

SCAPIN. – Levez-vous. Une autre fois ne soyez point si prompt.

50 **LÉANDRE.** – Me promets-tu de travailler pour moi ?

SCAPIN. – On y songera.

LÉANDRE. – Mais tu sais que le temps presse.

SCAPIN. – Ne vous mettez pas en peine. Combien est-ce
qu'il vous faut ?

55 **LÉANDRE.** – Cinq cents écus.

SCAPIN. – Et à vous ?

OCTAVE. – Deux cents pistoles[2].

SCAPIN. – Je veux tirer cet argent de vos pères. *(À Octave.)*
Pour ce qui est du vôtre, la machine est déjà toute trouvée.
60 *(À Léandre.)* Et quant au vôtre, bien qu'avare[3] au dernier
degré, il y faudra moins de façon encore, car vous savez
que pour l'esprit, il n'en a pas, grâces à Dieu ! grande provision, et je le livre pour[4] une espèce d'homme à qui l'on
fera toujours croire tout ce que l'on voudra. Cela ne vous

---

1. **Il se faut rendre** : il faut céder.
2. **Écus, pistoles** : pièces de monnaie.
3. **Avare** : qui refuse de dépenser son argent.
4. **Je le livre pour** : je considère comme.

⁶⁵ offense point : il ne tombe entre lui et vous aucun soupçon de ressemblance ; et vous savez assez l'opinion de tout le monde, qui veut qu'il ne soit votre père que pour la forme.

LÉANDRE. – Tout beau[1], Scapin.

SCAPIN. – Bon, bon ; on fait bien scrupule de cela : vous
⁷⁰ moquez-vous[2] ? Mais j'aperçois venir le père d'Octave. Commençons par lui, puisqu'il se présente. Allez-vous-en tous deux. *(À Octave.)* Et vous, avertissez votre Silvestre de venir vite jouer son rôle.

Scène 5
SCAPIN, ARGANTE.

SCAPIN, *à part.* – Le voilà qui rumine.

ARGANTE, *se croyant seul.* – Avoir si peu de conduite et de considération[3] ! S'aller jeter dans un engagement comme celui-là ! Ah, ah, jeunesse impertinente[4] !

⁵ **SCAPIN.** – Monsieur, votre serviteur.

ARGANTE. – Bonjour, Scapin.

---

1. **Tout beau** : doucement, ne sois pas insolent.
2. **On fait bien scrupule de cela : vous moquez-vous** : on attache trop d'importance à tout cela, êtes-vous réellement vexé.
3. **Considération** : respect.
4. **Impertinente** : irrespectueuse et insolente.

SCAPIN. – Vous rêvez[1] à l'affaire de votre fils.

ARGANTE. – Je t'avoue que cela me donne un furieux chagrin[2].

SCAPIN. – Monsieur, la vie est mêlée de traverses[3]. Il est bon
10 de s'y tenir sans cesse préparé ; et j'ai ouï dire il y a longtemps une parole d'un ancien[4] que j'ai toujours retenue.

ARGANTE. – Quoi ?

SCAPIN. – Que pour peu qu'un père de famille ait été absent
de chez lui, il doit promener son esprit sur tous les fâcheux
15 accidents que son retour peut rencontrer : se figurer sa
maison brûlée, son argent dérobé, sa femme morte, son
fils estropié, sa fille subornée[5] ; et ce qu'il trouve qui ne
lui est point arrivé, l'imputer à bonne fortune[6]. Pour moi,
j'ai pratiqué toujours cette leçon dans ma petite philoso-
20 phie[7] ; et je ne suis jamais revenu au logis, que je ne me sois
tenu prêt à la colère de mes maîtres, aux réprimandes, aux
injures, aux coups de pied au cul, aux bastonnades, aux
étrivières[8] ; et ce qui a manqué à m'arriver, j'en ai rendu
grâce à mon bon destin.

25 ARGANTE. – Voilà qui est bien ; mais ce mariage impertinent
qui trouble celui que nous voulons faire, est une chose
que je ne puis souffrir, et je viens de consulter des avocats
pour le faire casser.

---

1. **Rêvez** : ici, réfléchissez.
2. **Un furieux chagrin** : une grande contrariété.
3. **Traverses** : obstacles.
4. **Ancien** : vieil homme.
5. **Estropié** : blessé, mutilé ; **subornée** : séduite et déshonorée par un homme.
6. **L'imputer à bonne fortune** : l'attribuer à la chance.
7. **Ma petite philosophie** : ma façon de voir les choses, ma vision de la vie.
8. **Bastonnades** : volées de coups de bâton ; **étrivières** : lanières de cuir tenant les
étriers, avec lesquelles Scapin a été fouetté.

SCAPIN. – Ma foi ! Monsieur, si vous m'en croyez, vous tâche-
30 rez, par quelque autre voie, d'accommoder[1] l'affaire. Vous
savez ce que c'est que les procès en ce pays-ci, et vous allez
vous enfoncer dans d'étranges épines.

ARGANTE. – Tu as raison, je le vois bien. Mais quelle autre
voie ?

35 **SCAPIN.** – Je pense que j'en ai trouvé une. La compassion[2]
que m'a donnée tantôt votre chagrin, m'a obligé à chercher
dans ma tête quelque moyen pour vous tirer d'inquiétude ;
car je ne saurais voir d'honnêtes pères chagrinés par leurs
enfants, que cela ne m'émeuve[3] ; et de tout temps je me
40 suis senti pour votre personne une inclination[4] particulière.

ARGANTE. – Je te suis obligé[5].

SCAPIN. – J'ai donc été trouver le frère de cette fille qui a été
épousée. C'est un de ces braves de profession[6], de ces gens
qui sont tous coups d'épée, qui ne parlent que d'échiner[7],
45 et ne font non plus de conscience de tuer un homme, que
d'avaler un verre de vin. Je l'ai mis sur ce mariage, lui ai
fait voir quelle facilité offrait la raison de la violence, pour
le faire casser, vos prérogatives du nom de père[8], et l'appui
que vous donnerait auprès de la justice et votre droit, et
50 votre argent, et vos amis. Enfin je l'ai tant tourné de tous
les côtés, qu'il a prêté l'oreille aux propositions que je

---

1. **Accommoder** : arranger.
2. **Compassion** : pitié.
3. **Que cela ne m'émeuve** : sans que cela ne me touche.
4. **Inclination** : affection.
5. **Obligé** : reconnaissant.
6. **Braves de profession** : soldats professionnels.
7. **Échiner** : briser l'échine, c'est-à-dire la colonne vertébrale.
8. **Vos prérogatives du nom de père** : vos droits en tant que père.

lui ai faites d'ajuster l'affaire pour quelque somme[1]; et il donnera son consentement à rompre le mariage, pourvu que vous lui donniez de l'argent.

55 **ARGANTE.** – Et qu'a-t-il demandé?

SCAPIN. – Oh! d'abord, des choses par-dessus les maisons.

ARGANTE. – Et quoi?

SCAPIN. – Des choses extravagantes.

ARGANTE. – Mais encore?

60 **SCAPIN.** – Il ne parlait pas moins que de cinq ou six cents pistoles.

ARGANTE. – Cinq ou six cents fièvres quartaines[2] qui le puissent serrer! Se moque-t-il des gens?

SCAPIN. – C'est ce que je lui ai dit. J'ai rejeté bien loin de 65 pareilles propositions, et je lui ai bien fait entendre que vous n'étiez point une dupe[3], pour vous demander des cinq ou six cents pistoles. Enfin après plusieurs discours, voici où s'est réduit le résultat de notre conférence[4]. « Nous voilà au temps, m'a-t-il dit, que je dois partir pour l'armée. Je suis 70 après à[5] m'équiper, et le besoin que j'ai de quelque argent, me fait consentir malgré moi à ce qu'on me propose. Il me faut un cheval de service, et je n'en saurais avoir un qui soit tant soit peu raisonnable, à moins de soixante pistoles. »

ARGANTE. – Hé bien! pour soixante pistoles, je les donne.

---

1. **Ajuster l'affaire pour quelque somme**: arranger l'affaire contre de l'argent.
2. **Fièvres quartaines**: fièvres qui reviennent tous les quatre jours.
3. **Dupe**: personne que l'on trompe facilement.
4. **Conférence**: concertation, conversation.
5. **Je suis après à**: je suis en train de, je m'occupe de.

75 SCAPIN. – « Il faudra le harnais¹ et les pistolets ; et cela ira bien à vingt pistoles encore. »

ARGANTE. – Vingt pistoles, et soixante, ce serait quatre-vingts.

SCAPIN. – Justement.

ARGANTE. – C'est beaucoup ; mais soit, je consens à cela.

80 SCAPIN. – Il lui faut aussi un cheval pour monter son valet, qui coûtera bien trente pistoles.

ARGANTE. – Comment, diantre ! Qu'il se promène ! il n'aura rien du tout.

SCAPIN. – Monsieur.

85 ARGANTE. – Non, c'est un impertinent.

SCAPIN. – Voulez-vous que son valet aille à pied ?

ARGANTE. – Qu'il aille comme il lui plaira, et le maître aussi.

SCAPIN. – Mon Dieu ! Monsieur, ne vous arrêtez point à peu de chose. N'allez point plaider², je vous prie, et donnez
90 tout pour vous sauver des mains de la justice.

ARGANTE. – Hé bien ! soit, je me résous à donner encore ces trente pistoles.

SCAPIN. – « Il me faut encore, a-t-il dit, un mulet pour porter… »

95 ARGANTE. – Oh ! qu'il aille au diable avec son mulet ! C'en est trop, et nous irons devant les juges.

---

1. **Harnais** : équipement permettant de monter à cheval.
2. **Plaider** : faire un procès.

SCAPIN. – De grâce, Monsieur…

ARGANTE. – Non, je n'en ferai rien.

SCAPIN. – Monsieur, un petit mulet.

100 **ARGANTE.** – Je ne lui donnerais pas seulement un âne.

SCAPIN. – Considérez…

ARGANTE. – Non ! j'aime mieux plaider.

SCAPIN. – Eh ! Monsieur, de quoi parlez-vous là, et à quoi vous résolvez-vous ? Jetez les yeux sur les détours de la justice ;
105 voyez combien d'appels et de degrés de juridiction[1], combien de procédures embarrassantes, combien d'animaux ravissants[2] par les griffes desquels il vous faudra passer, sergents, procureurs, avocats, greffiers, substituts, rapporteurs, juges, et leurs clercs[3]. Il n'y a pas un de tous ces gens-là,
110 qui pour la moindre chose ne soit capable de donner un soufflet[4] au meilleur droit du monde. Un sergent baillera de faux exploits[5], sur quoi vous serez condamné sans que vous le sachiez. Votre procureur s'entendra avec votre partie[6], et vous vendra à beaux deniers comptants[7]. Votre avocat
115 gagné[8] de même, ne se trouvera point lorsqu'on plaidera votre cause, ou dira des raisons qui ne feront que battre la

---

1. Appels et [...] degrés de juridiction : différentes étapes et démarches lors d'un procès.
2. Ravissants : voleurs.
3. Professions en rapport avec la justice.
4. Soufflet : gifle.
5. Baillera de faux exploits : produira de faux documents indiquant des décisions juridiques.
6. Votre procureur s'entendra avec votre partie : la personne chargée de vous représenter passera un accord avec votre adversaire.
7. Vous vendra à beaux deniers comptants : vous fera perdre votre affaire contre de l'argent.
8. Gagné : acheté, corrompu.

campagne[1], et n'iront point au fait. Le greffier délivrera
par contumace[2] des sentences et arrêts contre vous. Le
clerc du rapporteur soustraira des pièces, ou le rapporteur même ne dira pas ce qu'il a vu. Et quand par les plus
grandes précautions du monde vous aurez paré[3] tout cela,
vous serez ébahi[4] que vos juges auront été sollicités[5] contre
vous, ou par des gens dévots[6], ou par des femmes qu'ils
aimeront. Eh! Monsieur, si vous le pouvez, sauvez-vous de
cet enfer-là. C'est être damné[7] dès ce monde, que d'avoir
à plaider; et la seule pensée d'un procès serait capable de
me faire fuir jusqu'aux Indes.

ARGANTE. – À combien est-ce qu'il fait monter le mulet?

SCAPIN. – Monsieur, pour le mulet, pour son cheval et celui
de son homme, pour le harnais et les pistolets, et pour payer
quelque petite chose qu'il doit à son hôtesse, il demande
en tout deux cents pistoles.

ARGANTE. – Deux cents pistoles?

SCAPIN. – Oui.

ARGANTE, *se promenant en colère le long du théâtre.* – Allons,
allons, nous plaiderons.

SCAPIN. – Faites réflexion…

ARGANTE. – Je plaiderai.

---

1. **Battre la campagne** : s'éloigner du sujet.
2. **Par contumace** : en votre absence.
3. **Paré** : évité.
4. **Ébahi** : stupéfait.
5. **Sollicités** : influencés.
6. **Dévots** : qui accordent une grande importance aux pratiques religieuses.
7. **Damné** : condamné à l'enfer.

Scapin. – Ne vous allez point jeter…

140 **Argante.** – Je veux plaider.

Scapin. – Mais, pour plaider, il vous faudra de l'argent. Il vous en faudra pour l'exploit; il vous en faudra pour le contrôle; il vous en faudra pour la procuration, pour la présentation, conseils, productions, et journées du procureur.

145 Il vous en faudra pour les consultations et plaidoiries des avocats, pour le droit de retirer le sac, et pour les grosses d'écritures; il vous en faudra pour le rapport des substituts; pour les épices de conclusion; pour l'enregistrement du greffier, façon d'appointement, sentences et arrêts, contrôles,

150 signatures, et expéditions de leurs clercs[1], sans parler de tous les présents qu'il vous faudra faire. Donnez cet argent-là à cet homme-ci, vous voilà hors d'affaire.

Argante. – Comment, deux cents pistoles?

Scapin. – Oui, vous y gagnerez. J'ai fait un petit calcul en

155 moi-même de tous les frais de la justice; et j'ai trouvé qu'en donnant deux cents pistoles à votre homme, vous en aurez de reste pour le moins[2] cent cinquante, sans compter les soins, les pas, et les chagrins que vous épargnerez. Quand il n'y aurait à essuyer que les sottises que disent devant tout

160 le monde de méchants plaisants d'avocats, j'aimerais mieux donner trois cents pistoles, que de plaider.

Argante. – Je me moque de cela, et je défie les avocats de rien dire de moi.

---

1. Scapin énumère ici tous les actes payants qui marquent les différentes étapes d'un procès.
2. Vous en aurez de reste pour le moins: il vous en restera au moins.

Ferdinand Delannoy, illustration pour
les *Œuvres complètes* de Molière, gravure, XIXe siècle.

SCAPIN. – Vous ferez ce qu'il vous plaira ; mais si j'étais que
de vous, je fuirais les procès.

ARGANTE. – Je ne donnerai point deux cents pistoles.

SCAPIN. – Voici l'homme dont il s'agit.

Scène 6
SCAPIN, ARGANTE, SILVESTRE.

SILVESTRE, *déguisé en spadassin*[1]. – Scapin, faites-moi connaître
un peu cet Argante, qui est père d'Octave.

SCAPIN. – Pourquoi, Monsieur ?

SILVESTRE. – Je viens d'apprendre qu'il veut me mettre en
procès, et faire rompre par justice le mariage de ma sœur.

SCAPIN. – Je ne sais pas s'il a cette pensée ; mais il ne veut
point consentir aux deux cents pistoles que vous voulez,
et il dit que c'est trop.

SILVESTRE. – Par la mort ! par la tête ! par le ventre ! si je
le trouve, je le veux échiner, dussé-je être roué[2] tout vif.

> *Argante, pour n'être point vu,*
> *se tient en tremblant, couvert de*[3] *Scapin.*

---

1. **Spadassin** : soldat armé d'une épée.
2. **Roué** : torturé et écartelé sur une roue.
3. **Couvert de** : caché derrière.

SCAPIN. – Monsieur, ce père d'Octave a du cœur[1], et peut-être ne vous craindra-t-il point.

SILVESTRE. – Lui ? lui ? Par le sang ! par la tête ! s'il était là, je lui donnerais tout à l'heure de l'épée dans le ventre. *(Apercevant Argante.)* Qui est cet homme-là ?

SCAPIN. – Ce n'est pas lui, Monsieur, ce n'est pas lui.

SILVESTRE. – N'est-ce point quelqu'un de ses amis ?

SCAPIN. – Non, Monsieur, au contraire, c'est son ennemi capital[2].

SILVESTRE. – Son ennemi capital ?

SCAPIN. – Oui.

SILVESTRE. – Ah, parbleu ! j'en suis ravi. Vous êtes ennemi, Monsieur, de ce faquin[3] d'Argante ; eh ?

SCAPIN. – Oui, oui, je vous en réponds.

SILVESTRE, *lui prend rudement la main*. – Touchez là, touchez[4]. Je vous donne ma parole, et vous jure sur mon honneur, par l'épée que je porte, par tous les serments que je saurais faire, qu'avant la fin du jour je vous déferai[5] de ce maraud fieffé[6], de ce faquin d'Argante. Reposez-vous sur moi.

SCAPIN. – Monsieur, les violences en ce pays-ci ne sont guère souffertes[7].

---

1. **Cœur** : courage.
2. **Capital** : principal.
3. **Faquin** : vaurien.
4. **Touchez là, touchez** : serrez-moi la main.
5. **Déferai** : débarrasserai.
6. **Fieffé** : plein de défauts, de vices.
7. **Souffertes** : tolérées, autorisées.

SILVESTRE. – Je me moque de tout, et je n'ai rien à perdre.

SCAPIN. – Il se tiendra sur ses gardes assurément; et il a des parents, des amis, et des domestiques, dont il se fera un
35 secours contre votre ressentiment.

SILVESTRE. – C'est ce que je demande, morbleu! c'est ce que je demande. *(Il met l'épée à la main, et pousse[1] de tous les côtés, comme s'il y avait plusieurs personnes devant lui.)* Ah, tête! ah, ventre! Que ne le trouvé-je à cette heure avec
40 tout son secours! Que ne paraît-il à mes yeux au milieu de trente personnes! Que ne les vois-je fondre sur moi les armes à la main! Comment, marauds, vous avez la hardiesse de vous attaquer à moi? Allons, morbleu! tue, point de quartier. Donnons. Ferme. Poussons. Bon pied, bon œil.
45 Ah! coquins, ah! canaille, vous en voulez par là; je vous en ferai tâter votre soûl[2]. Soutenez[3], marauds, soutenez. Allons. À cette botte[4]. À cette autre. À celle-ci. À celle-là. Comment, vous reculez? Pied ferme, morbleu! pied ferme.

SCAPIN. – Eh, eh, eh! Monsieur, nous n'en sommes pas[5].

50 SILVESTRE. – Voilà qui vous apprendra à vous oser jouer à moi. *(Il s'éloigne.)*

SCAPIN. – Hé bien, vous voyez combien de personnes tuées pour deux cents pistoles. Oh sus! Je vous souhaite une bonne fortune.

55 ARGANTE, *tout tremblant*. – Scapin.

---

1. Pousse: donne des coups d'épée.
2. Je vous en ferai tâter votre soûl: je vous en donnerai autant que vous le souhaitez.
3. Soutenez: battez-vous.
4. Botte: coup d'épée (terme d'escrime).
5. Nous n'en sommes pas: nous ne sommes pas de vos ennemis.

SCAPIN. – Plaît-il ?

ARGANTE. – Je me résous à donner les deux cents pistoles.

SCAPIN. – J'en suis ravi, pour l'amour de vous.

ARGANTE. – Allons le trouver, je les ai sur moi.

60 **SCAPIN.** – Vous n'avez qu'à me les donner. Il ne faut pas pour votre honneur, que vous paraissiez là, après avoir passé ici pour autre que ce que vous êtes ; et de plus, je craindrais qu'en vous faisant connaître, il n'allât s'aviser de vous demander davantage.

65 **ARGANTE.** – Oui ; mais j'aurais été bien aise de voir comme je donne mon argent.

SCAPIN. – Est-ce que vous vous défiez[1] de moi ?

ARGANTE. – Non pas ; mais…

SCAPIN. – Parbleu, Monsieur, je suis un fourbe, ou je suis
70 honnête homme ; c'est l'un des deux. Est-ce que je voudrais vous tromper, et que dans tout ceci j'ai d'autre intérêt que le vôtre, et celui de mon maître, à qui vous voulez vous allier ? Si je vous suis suspect, je ne me mêle plus de rien, et vous n'avez qu'à chercher, dès cette heure, qui accom-
75 modera vos affaires.

ARGANTE. – Tiens donc.

SCAPIN. – Non, Monsieur, ne me confiez point votre argent. Je serai bien aise[2] que vous vous serviez de quelque autre.

ARGANTE. – Mon Dieu ! tiens.

----

1. Défiez : méfiez.
2. Aise : content, satisfait.

80 **SCAPIN.** – Non, vous dis-je, ne vous fiez point à moi. Que sait-on si je ne veux point vous attraper votre argent ?

ARGANTE. – Tiens, te dis-je, ne me fais point contester davantage. Mais songe à bien prendre tes sûretés[1] avec lui.

SCAPIN. – Laissez-moi faire, il n'a pas affaire à un sot.

85 **ARGANTE.** – Je vais t'attendre chez moi.

SCAPIN. – Je ne manquerai pas d'y aller. *(Seul.)* Et un. Je n'ai qu'à chercher l'autre. Ah, ma foi ! le voici. Il semble que le Ciel, l'un après l'autre, les amène dans mes filets.

Scène 7
SCAPIN, GÉRONTE.

SCAPIN, *faisant semblant de ne pas voir Géronte.* – Ô Ciel ! ô disgrâce imprévue ! ô misérable père ! Pauvre Géronte, que feras-tu ?

GÉRONTE, *à part.* – Que dit-il là de moi, avec ce visage affligé ?

5 **SCAPIN,** *même jeu.* – N'y a-t-il personne qui puisse me dire où est le seigneur Géronte ?

GÉRONTE. – Qu'y a-t-il, Scapin ?

---

1. **Sûretés** : précautions.

SCAPIN, *même jeu.* – Où pourrai-je le rencontrer, pour lui dire cette infortune ?

10 **GÉRONTE.** – Qu'est-ce que c'est donc ?

SCAPIN, *même jeu.* – En vain[1] je cours de tous côtés pour le pouvoir trouver.

GÉRONTE. – Me voici.

SCAPIN, *même jeu.* – Il faut qu'il soit caché en quelque endroit
15 qu'on ne puisse point deviner.

GÉRONTE. – Holà ! es-tu aveugle, que tu ne me vois pas ?

SCAPIN. – Ah ! Monsieur, il n'y a pas moyen de vous rencontrer.

GÉRONTE. – Il y a une heure que je suis devant toi. Qu'est-ce que c'est donc qu'il y a ?

20 **SCAPIN.** – Monsieur…

GÉRONTE. – Quoi ?

SCAPIN. – Monsieur, votre fils…

GÉRONTE. – Hé bien ! mon fils…

SCAPIN. – Est tombé dans une disgrâce la plus étrange du
25 monde.

GÉRONTE. – Et quelle ?

SCAPIN. – Je l'ai trouvé tantôt tout triste, de je ne sais quoi que vous lui avez dit, où vous m'avez mêlé assez mal à propos ; et, cherchant à divertir cette tristesse, nous nous
30 sommes allés promener sur le port. Là, entre autres plusieurs

---

1. **En vain** : sans résultat, inutilement.

choses, nous avons arrêté nos yeux sur une galère turque assez bien équipée. Un jeune Turc de bonne mine nous a invités d'y entrer, et nous a présenté la main. Nous y avons passé ; il nous a fait mille civilités[1], nous a donné la colla-
35 tion[2], où nous avons mangé des fruits les plus excellents qui se puissent voir, et bu du vin que nous avons trouvé le meilleur du monde.

GÉRONTE. – Qu'y a-t-il de si affligeant en tout cela ?

SCAPIN. – Attendez, Monsieur, nous y voici. Pendant que
40 nous mangions, il a fait mettre la galère en mer, et, se voyant éloigné du port, il m'a fait mettre dans un esquif[3], et m'envoie vous dire que si vous ne lui envoyez par moi tout à l'heure cinq cents écus, il va vous emmener votre fils en Alger[4].

45 GÉRONTE. – Comment, diantre ! cinq cents écus ?

SCAPIN. – Oui, Monsieur ; et de plus, il ne m'a donné pour cela que deux heures.

GÉRONTE. – Ah le pendard de Turc, m'assassiner de la façon !

SCAPIN. – C'est à vous, Monsieur, d'aviser promptement
50 aux moyens de sauver des fers[5] un fils que vous aimez avec tant de tendresse.

GÉRONTE. – Que diable allait-il faire dans cette galère ?

---

1. **Civilités** : marques de politesse.
2. **Collation** : repas léger.
3. **Esquif** : barque.
4. Au XVIIᵉ siècle, l'Empire ottoman, empire turc très puissant, s'étend jusqu'à l'Afrique du Nord et possède l'Algérie, où se situe la ville d'Alger.
5. **Fers** : chaînes qui le réduiront à l'esclavage.

SCAPIN. – Il ne songeait pas à ce qui est arrivé.

GÉRONTE. – Va-t'en, Scapin, va-t'en vite dire à ce Turc que
55 je vais envoyer la justice après lui.

SCAPIN. – La justice en pleine mer ! Vous moquez-vous des
gens ?

GÉRONTE. – Que diable allait-il faire dans cette galère ?

SCAPIN. – Une méchante destinée conduit quelquefois les
60 personnes.

GÉRONTE. – Il faut, Scapin, il faut que tu fasses ici l'action
d'un serviteur fidèle.

SCAPIN. – Quoi, Monsieur ?

GÉRONTE. – Que tu ailles dire à ce Turc, qu'il me renvoie
65 mon fils, et que tu te mets à sa place, jusqu'à ce que j'aie
amassé la somme qu'il demande.

SCAPIN. – Eh ! Monsieur, songez-vous à ce que vous dites ? et
vous figurez-vous que ce Turc ait si peu de sens, que d'aller
recevoir un misérable comme moi, à la place de votre fils ?

70 GÉRONTE. – Que diable allait-il faire dans cette galère ?

SCAPIN. – Il ne devinait pas ce malheur. Songez, Monsieur,
qu'il ne m'a donné que deux heures.

GÉRONTE. – Tu dis qu'il demande…

SCAPIN. – Cinq cents écus.

75 GÉRONTE. – Cinq cents écus ! N'a-t-il point de conscience ?

SCAPIN. – Vraiment oui, de la conscience à un Turc.

GÉRONTE. – Sait-il bien ce que c'est que cinq cents écus ?

SCAPIN. – Oui, Monsieur, il sait que c'est mille cinq cents livres.

80 GÉRONTE. – Croit-il, le traître, que mille cinq cents livres se trouvent dans le pas d'un cheval ?

SCAPIN. – Ce sont des gens qui n'entendent point de raison.

GÉRONTE. – Mais que diable allait-il faire à cette galère ?

SCAPIN. – Il est vrai ; mais quoi ? on ne prévoyait pas les
85 choses. De grâce, Monsieur, dépêchez.

GÉRONTE. – Tiens, voilà la clef de mon armoire.

SCAPIN. – Bon.

GÉRONTE. – Tu l'ouvriras.

SCAPIN. – Fort bien.

90 GÉRONTE. – Tu trouveras une grosse clef du côté gauche, qui est celle de mon grenier.

SCAPIN. – Oui.

GÉRONTE. – Tu iras prendre toutes les hardes[1] qui sont dans cette grande manne[2], et tu les vendras aux fripiers[3], pour
95 aller racheter mon fils.

SCAPIN, *en lui rendant la clef.* – Eh ! Monsieur, rêvez-vous ? Je n'aurais pas cent francs de tout ce que vous dites, et de plus, vous savez le peu de temps qu'on m'a donné.

---

1. Hardes : vieux vêtements.
2. Manne : malle en osier.
3. Fripiers : marchands de vieux vêtements.

GÉRONTE. – Mais que diable allait-il faire à cette galère ?

100 SCAPIN. – Oh ! que de paroles perdues ! Laissez là cette galère, et songez que le temps presse, et que vous courez risque de perdre votre fils. Hélas ! mon pauvre maître, peut-être que je ne te verrai de ma vie, et qu'à l'heure que je parle on t'emmène esclave en Alger. Mais le Ciel me sera

105 témoin que j'ai fait pour toi tout ce que j'ai pu ; et que si tu manques à être racheté, il n'en faut accuser que le peu d'amitié[1] d'un père.

GÉRONTE. – Attends, Scapin, je m'en vais quérir[2] cette somme.

SCAPIN. – Dépêchez donc vite, Monsieur, je tremble que
110 l'heure ne sonne.

GÉRONTE. – N'est-ce pas quatre cents écus que tu dis ?

SCAPIN. – Non : cinq cents écus.

GÉRONTE. – Cinq cents écus ?

SCAPIN. – Oui.

115 GÉRONTE. – Que diable allait-il faire à cette galère ?

SCAPIN. – Vous avez raison, mais hâtez-vous.

GÉRONTE. – N'y avait-il point d'autre promenade ?

SCAPIN. – Cela est vrai. Mais faites promptement.

GÉRONTE. – Ah, maudite galère !

120 SCAPIN, *à part*. – Cette galère lui tient au cœur.

---

1. Amitié : ici, amour.
2. Quérir : chercher.

Géronte. – Tiens, Scapin, je ne me souvenais pas que je viens justement de recevoir cette somme en or, et je ne croyais pas qu'elle dût m'être si tôt ravie. *(Il lui présente sa bourse, qu'il ne laisse pourtant pas aller ; et, dans ses transports, il fait*

125 *aller son bras de côté et d'autre, et Scapin le sien pour avoir la bourse.)* Tiens. Va-t'en racheter mon fils.

Scapin. – Oui, Monsieur.

Géronte. – Mais dis à ce Turc que c'est un scélérat[1].

Scapin. – Oui.

130 **Géronte.** – Un infâme.

Scapin. – Oui.

Géronte. – Un homme sans foi, un voleur.

Scapin. – Laissez-moi faire.

Géronte. – Qu'il me tire cinq cents écus contre toute sorte

135 de droit.

Scapin. – Oui.

Géronte. – Que je ne les lui donne ni à la mort, ni à la vie.

Scapin. – Fort bien.

Géronte. – Et que si jamais je l'attrape, je saurai me venger

140 de lui.

Scapin. – Oui.

Géronte, *remet la bourse dans sa poche, et s'en va.* – Va, va vite requérir mon fils.

---

1. **Scélérat** : personne malhonnête.

Scapin, *allant après lui.* – Holà ! Monsieur.

145 **Géronte.** – Quoi ?

Scapin. – Où est donc cet argent ?

Géronte. – Ne te l'ai-je pas donné ?

Scapin. – Non vraiment, vous l'avez remis dans votre poche.

Géronte. – Ah ! c'est la douleur qui me trouble l'esprit.

150 **Scapin.** – Je le vois bien.

Géronte. – Que diable allait-il faire dans cette galère ? Ah, maudite galère ! Traître de Turc à tous les diables !

Scapin, *seul.* – Il ne peut digérer les cinq cents écus que je lui arrache ; mais il n'est pas quitte envers moi, et je veux
155 qu'il me paye en une autre monnaie l'imposture[1] qu'il m'a faite auprès de son fils.

Scène 8
Scapin, Octave, Léandre.

Octave. – Hé bien ! Scapin, as-tu réussi pour moi dans ton entreprise ?

Léandre. – As-tu fait quelque chose pour tirer mon amour de la peine où il est ?

---

1. **Imposture** : trahison.

5 SCAPIN, *à Octave.* – Voilà deux cents pistoles que j'ai tirées de votre père.

OCTAVE. – Ah! que tu me donnes de joie!

SCAPIN, *à Léandre.* – Pour vous, je n'ai pu faire rien.

LÉANDRE, *veut s'en aller.* – Il faut donc que j'aille mourir; et
10 je n'ai que faire de vivre, si Zerbinette m'est ôtée.

SCAPIN. – Holà, holà! tout doucement. Comme diantre vous allez vite!

LÉANDRE, *se retourne.* – Que veux-tu que je devienne?

SCAPIN. – Allez, j'ai votre affaire ici.

15 LÉANDRE, *revient.* – Ah! tu me redonnes la vie.

SCAPIN. – Mais à condition que vous me permettrez à moi une petite vengeance contre votre père, pour le tour qu'il m'a fait.

LÉANDRE. – Tout ce que tu voudras.

20 SCAPIN. – Vous me le promettez devant témoin.

LÉANDRE. – Oui.

SCAPIN. – Tenez, voilà cinq cents écus.

LÉANDRE. – Allons-en promptement acheter celle que j'adore.

Arrêt
sur lecture **2**

Un quiz pour commencer

Cochez les bonnes réponses.

1 *Qu'attend Géronte dans la scène 1 ?*

- ❏ Le retour de son épouse.
- ❏ Une visite d'Argante.
- ❏ L'arrivée de sa fille.

2 *Pourquoi Léandre est-il en colère contre Scapin ?*

- ❏ Parce que Scapin aide Octave.
- ❏ Parce qu'il croit avoir été trahi par Scapin.
- ❏ Parce que Scapin a fait fuir Zerbinette.

3 *Quelle nouvelle Carle apporte-t-il à Léandre ?*

- ❏ Les bohémiens menacent d'enlever Zerbinette.
- ❏ Géronte a découvert que Léandre est amoureux de Zerbinette.
- ❏ Zerbinette exige que Léandre demande sa main.

4 *Pourquoi Scapin accepte-t-il d'aider Léandre ?*

- ❏ Parce qu'il sera bien récompensé.
- ❏ Parce que Léandre le supplie.
- ❏ Parce qu'il veut accomplir une bonne action.

5 *Que cherche à obtenir Scapin de la part de Géronte et d'Argante ?*

- ❏ La permission que leurs fils épousent Hyacinte et Zerbinette.
- ❏ La reconnaissance de ses services.
- ❏ De l'argent.

6 *De quoi Scapin veut-il convaincre Argante ?*

- ❏ De ne pas faire un procès pour annuler le mariage d'Octave.
- ❏ De ne pas déshériter Octave.
- ❏ De ne pas punir Octave par des coups de bâton.

7 *Qui est déguisé dans la scène 6 ?*

- ❏ Géronte.
- ❏ Scapin.
- ❏ Silvestre.

8 *Dans la scène 7, que fait croire Scapin à Géronte ?*

- ❏ Que Léandre a été enlevé par un Turc.
- ❏ Que Léandre a été tué par des bandits.
- ❏ Que Léandre s'est enfui avec Zerbinette.

Des questions pour aller plus loin

→ *Analyser l'évolution de l'intrigue*

De multiples fourberies

1 Dans la scène 3, quelles fourberies Scapin confesse-t-il à Léandre ? Commentez l'ordre dans lequel ces méfaits sont avoués.

2 Au début de la scène 4, Léandre demande de l'aide à Scapin : la réaction du valet vous semble-t-elle sincère ? Selon vous, quel est son but ?

3 Relevez les passages de la scène 4 où Scapin se montre insolent à propos de Géronte et envers Léandre.

4 À la scène 8, quelle faveur Scapin demande-t-il à Léandre ? En quoi cette requête permet-elle de relancer l'action ?

5 Lecture d'images Observez les photographies de la page III du cahier photos : à quel moment précis de la scène 3 chacune d'elles correspond-elle ? Quels indices vous ont permis de répondre ?

Des personnages qui jouent la comédie

6 Au début de la scène 2, les marques de tendresse de Léandre à l'égard de son père vous paraissent-elles naturelles ? Expliquez. Dans quel but agit-il ainsi ?

7 Dans la scène 6, quels personnages jouent un rôle ?

Des échanges amusants, des critiques sérieuses

8 En vous appuyant sur la réaction de Léandre envers Scapin dans la scène 3 et sur les conseils que Scapin donne à Géronte

à la scène 5, montrez que la pièce dénonce la condition
des valets au XVIIᵉ siècle.

9 À la scène 5, quelle image les longues tirades de Scapin
donnent-elles de la justice ? Relevez un exemple d'énumération
et dites quel est l'effet produit.

10 Dans la scène 5, quels arguments Scapin emploie-t-il pour dissuader
Argante de faire un procès ? Quelle image l'expression « animaux
ravissants » (l. 106-107) donne-t-elle des employés de justice ?

(Z)oom sur la scène 7 (p. 67-74)

11 Des lignes 1 à 25, que cherche à provoquer Scapin ? Quels traits
de caractère la réaction de Géronte révèle-t-elle ?

12 Quelle phrase Géronte prononce-t-il à plusieurs reprises presque
à l'identique ? Ces interrogations font-elles progresser l'action ?

13 Quelles solutions Géronte propose-t-il pour ne pas payer
la rançon ? En quoi sont-elles en décalage avec la situation ?

14 Relisez les didascalies des lignes 123 à 126. Quels jeux de scène
les comédiens peuvent-ils adopter pour jouer ce passage ?

15 En vous aidant de vos réponses aux questions précédentes,
retrouvez dans cette scène quatre passages illustrant quatre
types de comique : comique de gestes, de répétition, de caractère,
de situation.

✔ *Rappelez-vous !*

• Les fourberies de Scapin font rapidement progresser l'action : à
l'issue de l'acte II, les jeunes gens ont obtenu les sommes d'argent
dont ils avaient besoin. Ces ruses reposent sur le **théâtre dans le
théâtre** : les personnages eux-mêmes jouent la comédie.

• Les jeux de dupes orchestrés par Scapin amusent les
spectateurs par des types de comique variés : **comique de
gestes, de répétition, de caractère et de situation.**

De la lecture à l'écriture

 Des mots pour mieux écrire

1 Recopiez le tableau suivant et complétez-le en donnant un synonyme du mot souligné. N'oubliez pas de l'accorder ou de le conjuguer si nécessaire.

Phrase	Synonyme du mot souligné
«Vous me refusez, mon père, de vous exprimer mon <u>transport</u> par mes embrassements!» (II, 2, p. 44)	
«Je veux qu'il me <u>confesse</u> lui-même [...] la perfidie qu'il m'a faite.» (II, 3, p. 47)	
«Je vous apporte une nouvelle qui est <u>fâcheuse</u> pour votre amour.» (II, 4, p. 51)	

2 a. À l'aide d'un dictionnaire, identifiez l'intrus qui s'est glissé dans chacune des listes suivantes.

A. Humiliation   Avanie   Gêne   Espoir   Embarras

B. Querelle   Réprimande   Conflit   Affrontement   Amusement

C. Joie   Disgrâce   Infortune   Malchance   Défaveur

b. Dites à quel champ lexical appartiennent les mots de chacune de ces listes.

À vous d'écrire

1 Dans la scène 3, Scapin avoue une série de méfaits à Léandre. Poursuivez l'échange entre les deux personnages en imaginant une dernière fourberie que le valet aurait pu commettre à l'encontre de son maître.

Consigne. Respectez la progression de la scène (appuyez-vous sur la question 1, p. 78) et soulignez les talents de metteur en scène et de comédien de Scapin. Respectez la présentation d'un dialogue théâtral.

2 Vous êtes metteur en scène et vous souhaitez faire jouer la scène 6. Rédigez une note d'intention de mise en scène, dans laquelle vous expliquerez comment doit être interprété le rôle de Silvestre jouant lui-même le rôle du spadassin.

Consigne. Réfléchissez à la meilleure façon de souligner le théâtre dans le théâtre et de rendre cette situation compréhensible par le spectateur. En une quinzaine de lignes, évoquez de façon organisée les gestes, le ton, le costume que devra adopter le comédien, le décor et les déplacements qui devront être mis en place.

Du texte à l'image

• Charles Le Brun, *Le Chancelier Séguier*, huile sur toile, XVIIe siècle.
• Claude Gillot, *Les Deux Carrosses*, huile sur toile, vers 1707.
➡ **Images reproduites dans le cahier photos, p. IV.**

👁 *Lire l'image*

1 Décrivez les deux tableaux de façon organisée (personnages, décor, couleurs dominantes). Quels points communs et quelles différences voyez-vous entre les deux toiles ?

2 Sur chacun des deux tableaux, à quoi reconnaît-on les maîtres et les valets ? Comment le pouvoir des premiers sur les seconds est-il suggéré ?

3 Selon vous, quelle scène se déroule sur le tableau de Claude Gillot ? Observez le visage du personnage de droite : que porte-t-il ?

📰 *Comparer le texte et l'image*

4 Quel(s) passage(s) de la pièce, illustrant le pouvoir des maîtres sur les valets, peuvent faire écho au tableau de Charles Le Brun ?

5 À quels personnages de la pièce les maîtres transportés dans les carrosses peuvent-ils vous faire penser ? Sur le tableau de Claude Gillot et dans la pièce, quelle image est donnée d'eux ?

✍ *À vous de créer*

6 Sur le tableau de Claude Gillot, le dialogue entre les maîtres, les valets et le personnage en noir semble très animé. Imaginez leurs répliques sous la forme d'une scène de théâtre d'une quinzaine de lignes. Vous pouvez insérer des didascalies.

ACTE III

Scène 1

SCAPIN, ZERBINETTE, HYACINTE, SILVESTRE.

SILVESTRE. – Oui, vos amants ont arrêté[1] entre eux que vous fussiez ensemble ; et nous nous acquittons de l'ordre qu'ils nous ont donné.

HYACINTE. – Un tel ordre n'a rien qui ne me soit fort agréable. Je reçois avec joie une compagne de la sorte ; et il ne tiendra pas à moi, que l'amitié qui est entre les personnes que nous aimons, ne se répande entre nous deux.

ZERBINETTE. – J'accepte la proposition, et ne suis point personne à reculer, lorsqu'on m'attaque d'amitié[2].

SCAPIN. – Et lorsque c'est d'amour qu'on vous attaque ?

ZERBINETTE. – Pour l'amour, c'est une autre chose : on y court un peu plus de risque, et je n'y suis pas si hardie.

---

1. **Vos amants ont arrêté** : vos amoureux ont décidé.
2. **On m'attaque d'amitié** : on m'offre son amitié.

SCAPIN. – Vous l'êtes, que je crois, contre mon maître maintenant ; et ce qu'il vient de faire pour vous, doit vous donner
15 du cœur pour répondre comme il faut à sa passion.

ZERBINETTE. – Je ne m'y fie encore que de la bonne sorte[1] ;
et ce n'est pas assez pour m'assurer entièrement, que ce
qu'il vient de faire. J'ai l'humeur enjouée, et sans cesse
je ris ; mais tout en riant, je suis sérieuse sur de certains
20 chapitres ; et ton maître s'abusera[2], s'il croit qu'il lui suffise
de m'avoir achetée pour me voir toute à lui. Il doit lui en
coûter autre chose que de l'argent ; et pour répondre à son
amour de la manière qu'il souhaite, il me faut un don de
sa foi qui soit assaisonné[3] de certaines cérémonies[4] qu'on
25 trouve nécessaires.

SCAPIN. – C'est là aussi comme il l'entend. Il ne prétend
à vous qu'en tout bien et en tout honneur ; et je n'aurais
pas été homme à me mêler de cette affaire, s'il avait une
autre pensée.

30 **ZERBINETTE.** – C'est ce que je veux croire, puisque vous me le
dites ; mais du côté du père, j'y prévois des empêchements.

SCAPIN. – Nous trouverons moyen d'accommoder les choses.

HYACINTE. – La ressemblance de nos destins doit contribuer
encore à faire naître notre amitié ; et nous nous voyons
35 toutes deux dans les mêmes alarmes[5], toutes deux exposées
à la même infortune.

---

1. **De la bonne sorte** : en tout bien tout honneur, dans le respect des convenances.
2. **S'abusera** : se trompera.
3. **Assaisonné** : accompagné.
4. Allusion au mariage.
5. **Alarmes** : inquiétudes.

ZERBINETTE. – Vous avez cet avantage, au moins, que vous savez de qui vous êtes née; et que l'appui de vos parents que vous pouvez faire connaître, est capable d'ajuster tout,
40 peut assurer votre bonheur, et faire donner un consentement au mariage qu'on trouve fait. Mais pour moi je ne rencontre aucun secours dans ce que je puis être, et l'on me voit dans un état qui n'adoucira pas les volontés d'un père qui ne regarde que le bien[1].

45 **HYACINTE**. – Mais aussi avez-vous cet avantage, que l'on ne tente point par un autre parti[2] celui que vous aimez.

ZERBINETTE. – Le changement du cœur d'un amant n'est pas ce qu'on peut le plus craindre. On se peut naturellement croire assez de mérite pour garder sa conquête; et
50 ce que je vois de plus redoutable dans ces sortes d'affaires, c'est la puissance paternelle, auprès de qui tout le mérite ne sert de rien.

HYACINTE. – Hélas! pourquoi faut-il que de justes inclinations se trouvent traversées[3]? La douce chose que d'aimer,
55 lorsque l'on ne voit point d'obstacle à ces aimables chaînes dont deux cœurs se lient ensemble!

SCAPIN. – Vous vous moquez: la tranquillité en amour est un calme désagréable. Un bonheur tout uni nous devient ennuyeux; il faut du haut et du bas dans la vie; et les dif-
60 ficultés qui se mêlent aux choses, réveillent les ardeurs, augmentent les plaisirs.

---

1. Le bien: la fortune, les possessions.
2. Parti: jeune fille à marier.
3. Traversées: empêchées, contrariées.

ZERBINETTE. – Mon Dieu, Scapin, fais-nous un peu ce récit, qu'on m'a dit qui est si plaisant, du stratagème dont tu t'es avisé pour tirer de l'argent de ton vieillard avare. Tu
65 sais qu'on ne perd point sa peine, lorsqu'on me fait un conte, et que je le paye assez bien, par la joie qu'on m'y voit prendre.

SCAPIN. – Voilà Silvestre qui s'en acquittera aussi bien que moi. J'ai dans la tête certaine petite vengeance dont je vais
70 goûter le plaisir.

SILVESTRE. – Pourquoi, de gaieté de cœur, veux-tu chercher à t'attirer de méchantes affaires ?

SCAPIN. – Je me plais à tenter des entreprises hasardeuses.

SILVESTRE. – Je te l'ai déjà dit, tu quitterais le dessein[1] que
75 tu as, si tu m'en voulais croire.

SCAPIN. – Oui, mais c'est moi que j'en croirai.

SILVESTRE. – À quoi diable te vas-tu amuser ?

SCAPIN. – De quoi diable te mets-tu en peine ?

SILVESTRE. – C'est que je vois que sans nécessité tu vas courir
80 risque de t'attirer une venue de coups de bâton.

SCAPIN. – Hé bien ! c'est aux dépens de mon dos, et non pas du tien.

SILVESTRE. – Il est vrai que tu es maître de tes épaules, et tu en disposeras comme il te plaira.

---

1. **Dessein** : projet.

85 **SCAPIN.** – Ces sortes de périls ne m'ont jamais arrêté, et je hais ces cœurs pusillanimes[1], qui pour trop prévoir[2] les suites des choses, n'osent rien entreprendre.

ZERBINETTE, *à Scapin.* – Nous aurons besoin de tes soins.

SCAPIN. – Allez, je vous irai bientôt rejoindre. Il ne sera 90 pas dit qu'impunément[3] on m'ait mis en état de me trahir moi-même, et de découvrir des secrets qu'il était bon qu'on ne sût pas.

Scène 2
SCAPIN, GÉRONTE.

GÉRONTE. – Hé bien, Scapin, comment va l'affaire de mon fils?

SCAPIN. – Votre fils, Monsieur, est en lieu de sûreté; mais vous courez maintenant, vous, le péril le plus grand du 5 monde, et je voudrais pour beaucoup que vous fussiez dans votre logis.

GÉRONTE. – Comment donc?

SCAPIN. – À l'heure que je parle, on vous cherche de toutes parts pour vous tuer.

---

1. Pusillanimes : lâches.
2. Pour trop prévoir : à force d'anticiper.
3. Impunément : sans être puni.

10   **GÉRONTE.** – Moi?

SCAPIN. – Oui.

GÉRONTE. – Et qui?

SCAPIN. – Le frère de cette personne qu'Octave a épousée.
Il croit que le dessein que vous avez de mettre votre fille à
15   la place que tient sa sœur, est ce qui pousse le plus fort à
faire rompre leur mariage; et dans cette pensée il a résolu
hautement de décharger son désespoir sur vous et vous
ôter la vie pour venger son honneur. Tous ses amis, gens
d'épée comme lui, vous cherchent de tous les côtés, et
20   demandent de vos nouvelles[1]. J'ai vu même deçà et delà,
des soldats de sa compagnie qui interrogent ceux qu'ils
trouvent, et occupent par pelotons toutes les avenues de
votre maison. De sorte que vous ne sauriez aller chez vous,
vous ne sauriez faire un pas ni à droit, ni à gauche, que
25   vous ne tombiez dans leurs mains.

GÉRONTE. – Que ferai-je, mon pauvre Scapin?

SCAPIN. – Je ne sais pas, Monsieur, et voici une étrange
affaire. Je tremble pour vous depuis les pieds jusqu'à la
tête, et… Attendez.

> *Il se retourne, et fait semblant d'aller voir*
> *au bout du théâtre s'il n'y a personne.*

30   **GÉRONTE,** *en tremblant.* – Eh?

SCAPIN, *en revenant.* – Non, non, non, ce n'est rien.

---

1. **De vos nouvelles**: où vous êtes.

GÉRONTE. – Ne saurais-tu trouver quelque moyen pour me tirer de peine ?

SCAPIN. – J'en imagine bien un ; mais je courrais risque,
35 moi, de me faire assommer.

GÉRONTE. – Eh ! Scapin, montre-toi serviteur zélé[1]. Ne m'abandonne pas, je te prie.

SCAPIN. – Je le veux bien. J'ai une tendresse pour vous qui ne saurait souffrir que je vous laisse sans secours.

40 **GÉRONTE.** – Tu en seras récompensé, je t'assure ; et je te promets cet habit-ci, quand je l'aurai un peu usé.

SCAPIN. – Attendez. Voici une affaire que je me suis trouvée fort à propos pour vous sauver. Il faut que vous vous mettiez dans ce sac et que…

45 **GÉRONTE,** *croyant voir quelqu'un.* – Ah !

SCAPIN. – Non, non, non, non, ce n'est personne. Il faut, dis-je, que vous vous mettiez là-dedans, et que vous gardiez de remuer en aucune façon. Je vous chargerai sur mon dos, comme un paquet de quelque chose, et je vous porterai
50 ainsi au travers de vos ennemis, jusque dans votre maison, où quand nous serons une fois, nous pourrons nous barricader, et envoyer quérir main-forte contre la violence.

GÉRONTE. – L'invention est bonne.

SCAPIN. – La meilleure du monde. Vous allez voir. *(À part.)*
55 Tu me payeras l'imposture.

GÉRONTE. – Eh ?

---

1. **Zélé** : très dévoué.

SCAPIN. – Je dis que vos ennemis seront bien attrapés. Mettez-vous bien jusqu'au fond, et surtout prenez garde de ne vous point montrer, et de ne branler pas, quelque
60 chose qui puisse arriver[1].

GÉRONTE. – Laisse-moi faire. Je saurai me tenir…

SCAPIN. – Cachez-vous. Voici un spadassin qui vous cherche. *(En contrefaisant[2] sa voix.)* « Quoi ? Jé n'aurai pas l'abantage dé tuer cé Géronte, et quelqu'un par charité né m'ensei-
65 gnera pas où il est ? » *(À Géronte avec sa voix ordinaire.)* Ne branlez pas. *(Reprenant son ton contrefait.)* « Cadédis[3], jé lé trouberai, sé cachât-il au centre dé la terre. » *(À Géronte avec son ton naturel.)* Ne vous montrez pas. *(Tout le langage gascon est supposé de celui qu'il contrefait, et le reste de lui.)*
70 « Oh, l'homme au sac ! » Monsieur. « Jé té vaille un louis, et m'enseigne où put être Géronte. » Vous cherchez le seigneur Géronte ? « Oui, mordi[4] ! Jé lé cherche. » Et pour quelle affaire, Monsieur ? « Pour quelle affaire ? » Oui. « Jé beux, cadédis, lé faire mourir sous les coups de vaton. » Oh !
75 Monsieur, les coups de bâton ne se donnent point à des gens comme lui, et ce n'est pas un homme à être traité de la sorte. « Qui, cé fat dé Géronte, cé maraut, cé velître ? » Le seigneur Géronte, Monsieur, n'est ni fat, ni maraud, ni belître[5], et vous devriez, s'il vous plaît, parler d'autre
80 façon. « Comment, tu mé traites, à moi, avec cette hautur ? » Je défends, comme je dois, un homme d'honneur qu'on

---

1. **De ne branler pas, quelque chose qui puisse arriver** : de ne pas bouger, quoi qu'il arrive.
2. **Contrefaisant** : modifiant. Scapin prend dans cette tirade l'accent gascon.
3. **Cadédis** : juron provençal.
4. **Mordi** : pardi.
5. **Fat** : prétentieux ; **belître** : homme importun, dérangeant.

offense. « Est-ce que tu es des amis dé cé Géronte ? » Oui,
Monsieur, j'en suis. « Ah ! Cadédis, tu es de ses amis, à la
vonne hure. » *(Il donne plusieurs coups de bâton sur le sac.)*

85 « Tiens. Boilà cé que jé té vaille pour lui. » Ah, ah, ah ! Ah,
Monsieur ! Ah, ah, Monsieur ! Tout beau. Ah, doucement,
ah, ah, ah ! « Va, porte-lui cela de ma part. Adiusias[1]. » Ah !
diable soit le Gascon ! Ah ! *(En se plaignant et remuant le
dos, comme s'il avait reçu les coups de bâton.)*

90 **Géronte,** *mettant la tête hors du sac.* – Ah ! Scapin, je n'en
puis plus.

Scapin. – Ah ! Monsieur, je suis tout moulu[2], et les épaules
me font un mal épouvantable.

Géronte. – Comment ? c'est sur les miennes qu'il a frappé.

95 **Scapin.** – Nenni, Monsieur, c'était sur mon dos qu'il frappait.

Géronte. – Que veux-tu dire ? J'ai bien senti les coups, et
les sens bien encore.

Scapin. – Non, vous dis-je, ce n'est que le bout du bâton
qui a été jusque sur vos épaules.

100 **Géronte.** – Tu devais donc te retirer un peu plus loin,
pour m'épargner…

Scapin, *lui remet la tête dans le sac.* – Prenez garde. En voici
un autre qui a la mine d'un étranger. *(Cet endroit est de
même que celui du Gascon, pour le changement de langage, et*

105 *le jeu de théâtre[3].)* « Parti ! Moi courir comme une Basque[4],

---

1. **Adiusias** : « adieu », en provençal.
2. **Moulu** : endolori à cause des coups.
3. Dans cette tirade, Scapin imite l'accent basque.
4. **Courir comme une Basque** : courir vite.

et moi ne pouvre[1] point troufair de tout le jour sti tiable de Gironte ? » Cachez-vous bien. « Dites-moi un peu fous, monsir l'homme, s'il ve plaist, fous savoir point où l'est sti Gironte que moi cherchair ? » Non, Monsieur, je ne sais point où est Géronte. « Dites-moi-le vous frenchemente, moi li fouloir pas grande chose à lui. L'est seulemente pour li donnair un petite régale sur le dos d'un douzaine de coups de bastonne, et de trois ou quatre petites coups d'épée au trafers de son poitrine. » Je vous assure, Monsieur, que je ne sais pas où il est. « Il me semble que j'y foi remuair quelque chose dans sti sac. » Pardonnez-moi, Monsieur. « Li est assurément quelque histoire là tetans. » Point du tout, Monsieur. « Moi l'avoir enfie de tonner ain coup d'épée dans ste sac. » Ah ! Monsieur, gardez-vous-en bien. « Montre-le-moi un peu fous ce que c'estre là. » Tout beau, Monsieur. « Quement ? tout beau ? » Vous n'avez que faire de vouloir voir ce que je porte. « Et moi, je le fouloir foir, moi. » Vous ne le verrez point. « Ahi que de badinemente[2] ! » Ce sont hardes qui m'appartiennent. « Montre-moi fous, te dis-je. » Je n'en ferai rien. « Toi ne faire rien ? » Non. « Moi pailler de ste bastonne dessus les épaules de toi. » Je me moque de cela. « Ah ! toi faire le trole. » *(Donnant des coups de bâton sur le sac et criant comme s'il les recevait.)* Ahi, ahi, ahi ; ah, Monsieur, ah, ah, ah, ah. « Jusqu'au refoir : l'estre là un petit leçon pour li apprendre à toi à parlair insolentemente. » Ah ! peste soit du baragouineux ! Ah !

Géronte, *sortant sa tête du sac.* – Ah ! je suis roué.

---

1. **Pouvre**: pouvoir.
2. **Badinemente**: plaisanteries, mensonges.

Scapin. – Ah ! je suis mort.

Géronte. – Pourquoi diantre faut-il qu'ils frappent sur
135 mon dos ?

Scapin, *lui remettant sa tête dans le sac*. – Prenez garde, voici
une demi-douzaine de soldats tout ensemble. *(Il contrefait
plusieurs personnes ensemble.)* « Allons, tâchons à trouver ce
Géronte, cherchons partout. N'épargnons point nos pas.
140 Courons toute la ville. N'oublions aucun lieu. Visitons tout.
Furetons de tous les côtés. Par où irons-nous ? Tournons
par là. Non, par ici. À gauche. À droit. Nenni. Si fait. »
Cachez-vous bien. « Ah ! camarades, voici son valet. Allons,
coquin, il faut que tu nous enseignes où est ton maître. »
145 Eh ! Messieurs, ne me maltraitez point. « Allons, dis-nous où
il est. Parle. Hâte-toi. Expédions. Dépêche vite. Tôt. » Eh !
Messieurs, doucement. *(Géronte met doucement la tête hors
du sac, et aperçoit la fourberie de Scapin.)* « Si tu ne nous fais
trouver ton maître tout à l'heure, nous allons faire pleuvoir
150 sur toi une ondée[1] de coups de bâton. » J'aime mieux souffrir toute chose que de vous découvrir mon maître. « Nous
allons t'assommer. » Faites tout ce qu'il vous plaira. « Tu as
envie d'être battu. Ah ! Tu en veux tâter ? Voilà… » Oh !

> *Comme il est prêt de frapper,*
155 > *Géronte sort du sac, et Scapin s'enfuit.*

Géronte. – Ah, infâme ! ah, traître ! ah, scélérat ! C'est ainsi
que tu m'assassines.

---

1. Ondée : pluie.

Scène 3

GÉRONTE, ZERBINETTE.

ZERBINETTE, *riant, sans voir Géronte.* – Ah, ah, je veux prendre un peu l'air.

GÉRONTE, *à part, sans voir Zerbinette.* – Tu me le paieras, je te jure.

5 **ZERBINETTE,** *sans voir Géronte.* – Ah, ah, ah, ah, la plaisante histoire ! et la bonne dupe que ce vieillard !

GÉRONTE. – Il n'y a rien de plaisant à cela, et vous n'avez que faire d'en rire.

ZERBINETTE. – Quoi ? que voulez-vous dire, Monsieur ?

10 **GÉRONTE.** – Je veux dire que vous ne devez pas vous moquer de moi.

ZERBINETTE. – De vous ?

GÉRONTE. – Oui.

ZERBINETTE. – Comment ? qui songe à se moquer de vous ?

15 **GÉRONTE.** – Pourquoi venez-vous ici me rire au nez ?

ZERBINETTE. – Cela ne vous regarde point, et je ris toute seule d'un conte qu'on vient de me faire, le plus plaisant qu'on puisse entendre. Je ne sais pas si c'est parce que je suis intéressée dans la chose ; mais je n'ai jamais trouvé rien

20 de si drôle qu'un tour qui vient d'être joué par un fils à son père, pour en attraper de l'argent.

GÉRONTE. – Par un fils à son père, pour en attraper de l'argent?

ZERBINETTE. – Oui. Pour peu que vous me pressiez, vous
25 me trouverez assez disposée à vous dire l'affaire, et j'ai une
démangeaison[1] naturelle à faire part des contes que je sais.

GÉRONTE. – Je vous prie de me dire cette histoire.

ZERBINETTE. – Je le veux bien. Je ne risquerai pas grand-
chose à vous la dire, et c'est une aventure qui n'est pas
30 pour être longtemps secrète. La destinée a voulu que je
me trouvasse parmi une bande de ces personnes qu'on
appelle Égyptiens, et qui rôdant de province en province,
se mêlent de dire la bonne fortune[2], et quelquefois de
beaucoup d'autres choses. En arrivant dans cette ville un
35 jeune homme me vit, et conçut pour moi de l'amour. Dès ce
moment il s'attache à mes pas, et le voilà d'abord, comme
tous les jeunes gens, qui croient qu'il n'y a qu'à parler, et
qu'au moindre mot qu'ils nous disent, leurs affaires sont
faites[3]; mais il trouva une fierté qui lui fit un peu corriger
40 ses premières pensées. Il fit connaître sa passion aux gens
qui me tenaient, et il les trouva disposés à me laisser à lui,
moyennant quelque somme. Mais le mal de l'affaire était
que mon amant se trouvait dans l'état où l'on voit très
souvent la plupart des fils de famille, c'est-à-dire qu'il était
45 un peu dénué d'argent; et il a un père, qui, quoique riche,
est un avaricieux fieffé[4], le plus vilain[5] homme du monde.

---

1. **Démangeaison**: envie.
2. **Dire la bonne fortune**: dire la bonne aventure, prédire l'avenir.
3. **Leurs affaires sont faites**: nous (les femmes) cédons à leurs avances.
4. **Avaricieux fieffé**: avare au plus haut point.
5. **Vilain**: méchant, bourru.

Attendez. Ne me saurais-je souvenir de son nom ? Haye !
Aidez-moi un peu. Ne pouvez-vous me nommer quelqu'un
de cette ville qui soit connu pour être avare au dernier point ?

50 **Géronte.** – Non.

Zerbinette. – Il y a à son nom du ron… ronte. Or… Oronte.
Non. Gé… Géronte ; oui, Géronte, justement ; voilà mon
vilain, je l'ai trouvé, c'est ce ladre-là[1] que je dis. Pour venir
à notre conte, nos gens ont voulu aujourd'hui partir de
55 cette ville ; et mon amant m'allait perdre faute d'argent,
si, pour en tirer de son père, il n'avait trouvé du secours
dans l'industrie d'un serviteur qu'il a. Pour le nom du
serviteur, je le sais à merveille. Il s'appelle Scapin ; c'est
un homme incomparable, et il mérite toutes les louanges[2]
60 qu'on peut donner.

Géronte, *à part.* – Ah ! coquin que tu es !

Zerbinette. – Voici le stratagème dont il s'est servi pour
attraper sa dupe. Ah, ah, ah, ah. Je ne saurais m'en souvenir, que je ne rie de tout mon cœur. Ah, ah, ah. Il est allé
65 trouver ce chien d'avare, ah, ah, ah ; et lui a dit, qu'en se
promenant sur le port avec son fils, hi, hi, ils avaient vu une
galère turque où on les avait invités d'entrer ; qu'un jeune
Turc leur y avait donné la collation, ah ; que, tandis qu'ils
mangeaient, on avait mis la galère en mer ; et que le Turc
70 l'avait renvoyé lui seul à terre dans un esquif, avec ordre de
dire au père de son maître, qu'il emmenait son fils en Alger,
s'il ne lui envoyait tout à l'heure cinq cents écus. Ah, ah, ah.
Voilà mon ladre, mon vilain dans de furieuses angoisses ;

---

1. **Ce ladre-là** : cet avare-là.
2. **Louanges** : éloges, compliments.

Décor et costumes

Décor pour la mise en scène de Jacques Charon à la Comédie-Française, Paris, gouache de Robert Hirsch, 1956.

➡ Voir lecture d'images, p. 118-119.

a. *Scapin*, lithographie anonyme, 1885 ; b. Jacques Copeau (Scapin) dans sa mise en scène, théâtre du Vieux-Colombier, Paris, 1920 ; c. costume de Scapin pour la mise en scène de Jacques Charon à la Comédie-Française, Paris, gouache de Robert Hirsch, 1956 ; d. Lionel Lingelser (Scapin) dans la mise en scène d'Omar Porras, théâtre Malandro, Genève, 2009.

➡ Voir lecture d'images, p. 118-119.

De la *commedia dell'arte*...

Personnages de la *commedia dell'arte*, d'après un dessin d'André Degaine dans l'*Histoire du théâtre dessinée*, Nizet, 1992.

➡ Voir lecture d'images, p. 36 et p. 119.

Masques italiens de la commedia dell'arte: *le capitaine Babbeo et Cucuba*, peinture anonyme, XVIIe siècle.

➡ Voir lecture d'images, p. 119-120

... aux *Fourberies de Scapin*

Léandre
(Nicolas Lormeau)
et Scapin
(Philippe Torreton)
dans la mise
en scène de
Jean-Louis Benoit,
Comédie-Française,
Paris, 1997.
➡ **Voir lecture
d'images, p. 78.**

Scapin (Arnaud Denis) et Léandre (Jonathan Bizet) dans la mise en scène d'Arnaud Denis,
Petit théâtre Montparnasse, Paris, 2008.
➡ **Voir lecture d'images, p. 78.**

Maîtres et valets dans la peinture (XVIIᵉ-XVIIIᵉ siècles)

Charles Le Brun,
Le Chancelier Séguier,
huile sur toile,
XVIIᵉ siècle.
➡ **Voir lecture d'images, p. 82**

Claude Gillot,
Les Deux Carrosses,
huile sur toile,
vers 1707.
➡ **Voir lecture d'images, p. 8**

et la tendresse qu'il a pour son fils, fait un combat étrange
75 avec son avarice. Cinq cents écus qu'on lui demande, sont
justement cinq cents coups de poignard qu'on lui donne.
Ah, ah, ah. Il ne peut se résoudre à tirer cette somme
de ses entrailles[1]; et la peine qu'il souffre, lui fait trouver
cent moyens ridicules pour ravoir son fils. Ah, ah, ah. Il
80 veut envoyer la justice en mer après la galère du Turc. Ah,
ah, ah. Il sollicite son valet de s'aller offrir à tenir la place
de son fils, jusqu'à ce qu'il ait amassé l'argent qu'il n'a
pas envie de donner. Ah, ah, ah. Il abandonne, pour faire
les cinq cents écus, quatre ou cinq vieux habits qui n'en
85 valent pas trente. Ah, ah, ah. Le valet lui fait comprendre,
à tous coups, l'impertinence de ses propositions, et chaque
réflexion est douloureusement accompagnée d'un: « Mais
que diable allait-il faire à cette galère? Ah! maudite galère!
Traître de Turc! » Enfin, après plusieurs détours, après avoir
90 longtemps gémi et soupiré… Mais il me semble que vous
ne riez point de mon conte. Qu'en dites-vous?

GÉRONTE. – Je dis que le jeune homme est un pendard, un
insolent, qui sera puni par son père, du tour qu'il lui a fait;
que l'Égyptienne est une malavisée[2], une impertinente,
95 de dire des injures à un homme d'honneur qui saura lui
apprendre à venir ici débaucher[3] les enfants de famille;
et que le valet est un scélérat, qui sera par Géronte envoyé
au gibet[4] avant qu'il soit demain.

---

1. **De ses entrailles**: du plus profond de lui-même.
2. **Malavisée**: personne qui agit sans réfléchir.
3. **Débaucher**: détourner du droit chemin.
4. **Au gibet**: à la pendaison.

Scène 4

ZERBINETTE, SILVESTRE.

SILVESTRE. – Où est-ce donc que vous vous échappez ? Savez-vous bien que vous venez de parler là au père de votre amant ?

ZERBINETTE. – Je viens de m'en douter, et je me suis adressée à lui-même sans y penser, pour lui conter son histoire.

5 **SILVESTRE.** – Comment, son histoire ?

ZERBINETTE. – Oui, j'étais toute remplie du conte, et je brûlais de le redire. Mais qu'importe ? Tant pis pour lui. Je ne vois pas que les choses pour nous en puissent être ni pis, ni mieux.

10 **SILVESTRE.** – Vous aviez grande envie de babiller[1] ; et c'est avoir bien de la langue que de ne pouvoir se taire de ses propres affaires.

ZERBINETTE. – N'aurait-il pas appris cela de quelque autre ?

---

1. **Babiller** : bavarder.

Scène 5

SILVESTRE, ARGANTE.

ARGANTE. – Holà ! Silvestre.

SILVESTRE, *à Zerbinette.* – Rentrez dans la maison. Voilà mon maître qui m'appelle.

ARGANTE. – Vous vous êtes donc accordés, coquin ; vous vous
5   êtes accordés, Scapin, vous, et mon fils, pour me fourber, et vous croyez que je l'endure[1] ?

SILVESTRE. – Ma foi ! Monsieur, si Scapin vous fourbe, je m'en lave les mains, et vous assure que je n'y trempe en aucune façon.

10 **ARGANTE.** – Nous verrons cette affaire, pendard, nous verrons cette affaire, et je ne prétends pas qu'on me fasse passer la plume par le bec[2].

---

1. Que je l'endure : que je le tolère, que je le supporte.
2. Qu'on me fasse passer la plume par le bec : qu'on m'empêche de faire ce que je veux.

Scène 6

SILVESTRE, ARGANTE, GÉRONTE.

GÉRONTE. – Ah! seigneur Argante, vous me voyez accablé de disgrâce.

ARGANTE. – Vous me voyez aussi dans un accablement horrible.

GÉRONTE. – Le pendard de Scapin, par une fourberie, m'a
5   attrapé cinq cents écus.

ARGANTE. – Le même pendard de Scapin, par une fourberie aussi, m'a attrapé deux cents pistoles.

GÉRONTE. – Il ne s'est pas contenté de m'attraper cinq cents écus; il m'a traité d'une manière que j'ai honte de dire.
10   Mais il me la paiera.

ARGANTE. – Je veux qu'il me fasse raison[1] de la pièce qu'il m'a jouée.

GÉRONTE. – Et je prétends faire de lui une vengeance exemplaire.

15   SILVESTRE, *à part*. – Plaise au Ciel que dans tout ceci je n'aie point ma part!

GÉRONTE. – Mais ce n'est pas encore tout, seigneur Argante, et un malheur nous est toujours l'avant-coureur d'un autre. Je me réjouissais aujourd'hui de l'espérance d'avoir ma
20   fille, dont je faisais toute ma consolation; et je viens d'apprendre de mon homme qu'elle est partie il y a longtemps

---

1. **Qu'il me fasse raison**: qu'il me rende justice, qu'il paie pour ce qu'il a fait.

de Tarente, et qu'on y croit qu'elle a péri dans le vaisseau
où elle s'embarqua.

ARGANTE. – Mais pourquoi, s'il vous plaît, la tenir à Tarente,
et ne vous être pas donné la joie de l'avoir avec vous?

GÉRONTE. – J'ai eu mes raisons pour cela; et des intérêts
de famille m'ont obligé jusques ici à tenir fort secret ce
second mariage. Mais que vois-je?

Scène 7

SILVESTRE, ARGANTE, GÉRONTE, NÉRINE.

GÉRONTE. – Ah! te voilà, nourrice.

NÉRINE, *se jetant à ses genoux.* – Ah! seigneur Pandolphe,
que…

GÉRONTE. – Appelle-moi Géronte, et ne te sers plus de
ce nom. Les raisons ont cessé, qui m'avaient obligé à le
prendre parmi vous à Tarente.

NÉRINE. – Las [1]! que ce changement de nom nous a causé
de troubles et d'inquiétudes dans les soins que nous avons
pris de vous venir chercher ici!

GÉRONTE. – Où est ma fille, et sa mère?

---

1. **Las** : hélas.

Nérine. – Votre fille, Monsieur, n'est pas loin d'ici. Mais avant que de vous la faire voir, il faut que je vous demande pardon de l'avoir mariée, dans l'abandonnement[1], où faute de vous rencontrer, je me suis trouvée avec elle.

15 **Géronte.** – Ma fille mariée !

Nérine. – Oui, Monsieur.

Géronte. – Et avec qui ?

Nérine. – Avec un jeune homme nommé Octave, fils d'un certain seigneur Argante.

20 **Géronte.** – Ô Ciel !

Argante. – Quelle rencontre !

Géronte. – Mène-nous, mène-nous promptement où elle est.

Nérine. – Vous n'avez qu'à entrer dans ce logis.

Géronte. – Passe devant. Suivez-moi, suivez-moi, seigneur
25 Argante.

Silvestre, *seul*. – Voilà une aventure qui est tout à fait surprenante !

---

1. Abandonnement : abandon, solitude.

Scène 8

SILVESTRE, SCAPIN.

SCAPIN. – Hé bien ! Silvestre, que font nos gens ?

SILVESTRE. – J'ai deux avis à te donner. L'un, que l'affaire d'Octave est accommodée. Notre Hyacinte s'est trouvée la fille du seigneur Géronte ; et le hasard a fait, ce que la
5 prudence des pères avait délibéré[1]. L'autre avis, c'est que les deux vieillards font contre toi des menaces épouvantables, et surtout le seigneur Géronte.

SCAPIN. – Cela n'est rien. Les menaces ne m'ont jamais fait mal ; et ce sont des nuées[2] qui passent bien loin sur nos têtes.

10 **SILVESTRE.** – Prends garde à toi ; les fils se pourraient bien raccomoder avec les pères, et toi demeurer dans la nasse[3].

SCAPIN. – Laisse-moi faire, je trouverai moyen d'apaiser leur courroux[4], et…

SILVESTRE. – Retire-toi, les voilà qui sortent.

---

1. Ce que la prudence des pères avait délibéré : ce que la sagesse des pères avait prévu.
2. Nuées : nuages.
3. Demeurer dans la nasse : être pris au piège (la nasse est un filet de pêche).
4. Courroux : colère.

Scène 9

SILVESTRE, GÉRONTE, ARGANTE, NÉRINE, HYACINTE.

GÉRONTE. – Allons, ma fille, venez chez moi. Ma joie aurait été parfaite, si j'y avais pu voir votre mère avec vous.

ARGANTE. – Voici Octave, tout à propos.

Scène 10

SILVESTRE, GÉRONTE, ARGANTE, NÉRINE,
HYACINTE, OCTAVE, ZERBINETTE.

ARGANTE. – Venez, mon fils, venez vous réjouir avec nous de l'heureuse aventure de votre mariage. Le Ciel…

OCTAVE, *sans voir Hyacinte.* – Non, mon père, toutes vos propositions de mariage ne serviront de rien. Je dois lever
5 le masque avec vous, et l'on vous a dit mon engagement.

ARGANTE. – Oui ; mais tu ne sais pas…

OCTAVE. – Je sais tout ce qu'il faut savoir.

ARGANTE. – Je veux te dire que la fille du seigneur Géronte…

OCTAVE. – La fille du seigneur Géronte ne me sera jamais
10 de rien.

GÉRONTE. – C'est elle…

OCTAVE. – Non, Monsieur, je vous demande pardon, mes résolutions sont prises.

SILVESTRE, *à Octave.* – Écoutez…

15 **OCTAVE.** – Non, tais-toi, je n'écoute rien.

ARGANTE. – Ta femme…

OCTAVE. – Non, vous dis-je, mon père, je mourrai plutôt que de quitter mon aimable Hyacinte. *(Traversant le théâtre pour aller à elle.)* Oui, vous avez beau faire, la voilà celle à
20 qui ma foi est engagée ; je l'aimerai toute ma vie, et je ne veux point d'autre femme.

ARGANTE. – Hé bien ! c'est elle qu'on te donne. Quel diable d'étourdi, qui suit toujours sa pointe[1] !

HYACINTE. – Oui, Octave, voilà mon père que j'ai trouvé,
25 et nous nous voyons hors de peine.

GÉRONTE. – Allons chez moi, nous serons mieux qu'ici pour nous entretenir.

HYACINTE, *montrant Zerbinette.* – Ah ! mon père, je vous demande par grâce, que je ne sois point séparée de l'aimable
30 personne que vous voyez : elle a un mérite qui vous fera concevoir de l'estime pour elle, quand il sera connu de vous.

GÉRONTE. – Tu veux que je tienne chez moi une personne qui est aimée de ton frère, et qui m'a dit tantôt au nez mille sottises de moi-même ?

---

1. Qui suit toujours sa pointe : entêté, qui ne suit que son idée.

35 **ZERBINETTE.** – Monsieur, je vous prie de m'excuser. Je n'aurais pas parlé de la sorte, si j'avais su que c'était vous, et je ne vous connaissais que de réputation.

GÉRONTE. – Comment, que de réputation ?

HYACINTE. – Mon père, la passion que mon frère a pour 40 elle, n'a rien de criminel, et je réponds de sa vertu.

GÉRONTE. – Voilà qui est fort bien. Ne voudrait-on point que je mariasse mon fils avec elle ? Une fille inconnue, qui fait le métier de coureuse[1].

Scène 11

SILVESTRE, GÉRONTE, ARGANTE, NÉRINE, HYACINTE,
OCTAVE, ZERBINETTE, LÉANDRE.

LÉANDRE. – Mon père, ne vous plaignez point que j'aime une inconnue, sans naissance[2] et sans bien. Ceux de qui je l'ai rachetée, viennent de me découvrir qu'elle est de cette ville, et d'honnête famille ; que ce sont eux qui l'y ont 5 dérobée à l'âge de quatre ans ; et voici un bracelet qu'ils m'ont donné, qui pourra nous aider à trouver ses parents.

ARGANTE. – Hélas ! à voir ce bracelet, c'est ma fille que je perdis à l'âge que vous dites.

---

1. **Coureuse** : séductrice.
2. **Sans naissance** : dont on ne connaît pas les parents, sans famille.

GÉRONTE. – Votre fille?

10 **ARGANTE.** – Oui, ce l'est, et j'y vois tous les traits qui m'en peuvent rendre assuré. Ma chère fille…

HYACINTE. – Ô Ciel! que d'aventures extraordinaires!

Scène 12

SILVESTRE, GÉRONTE, ARGANTE, NÉRINE, HYACINTE,
OCTAVE, ZERBINETTE, LÉANDRE, CARLE.

CARLE. – Ah! Messieurs, il vient d'arriver un accident étrange.

GÉRONTE. – Quoi?

CARLE. – Le pauvre Scapin…

GÉRONTE. – C'est un coquin que je veux faire pendre.

5 **CARLE.** – Hélas! Monsieur, vous ne serez pas en peine de cela. En passant contre un bâtiment, il lui est tombé sur la tête un marteau de tailleur de pierre, qui lui a brisé l'os et découvert toute la cervelle. Il se meurt, et il a prié qu'on l'apportât ici pour vous pouvoir parler avant que de mourir.

10 **ARGANTE.** – Où est-il?

CARLE. – Le voilà.

Scène 13

CARLE, GÉRONTE, ARGANTE, ETC. ET SCAPIN.

SCAPIN, *apporté par deux hommes, et la tête entourée de linges, comme s'il avait été blessé.* – Ahi, ahi. Messieurs, vous me voyez… Ahi, vous me voyez dans un étrange état. Ahi. Je n'ai pas voulu mourir, sans venir demander pardon à toutes les
5 personnes que je puis avoir offensées. Ahi. Oui, Messieurs, avant que de rendre le dernier soupir, je vous conjure de tout mon cœur, de vouloir me pardonner tout ce que je puis vous avoir fait, et principalement le seigneur Argante, et le seigneur Géronte. Ahi.

10 **ARGANTE.** – Pour moi, je te pardonne ; va, meurs en repos.

SCAPIN, *à Géronte.* – C'est vous, Monsieur, que j'ai le plus offensé, par les coups de bâton que…

GÉRONTE. – Ne parle point davantage, je te pardonne aussi.

SCAPIN. – Ç'a été une témérité bien grande à moi, que les
15 coups de bâton que je…

GÉRONTE. – Laissons cela.

SCAPIN. – J'ai en mourant, une douleur inconcevable des coups de bâton que…

GÉRONTE. – Mon Dieu ! tais-toi.

20 **SCAPIN.** – Les malheureux coups de bâton que je vous…

GÉRONTE. – Tais-toi, te dis-je, j'oublie tout.

SCAPIN. – Hélas ! quelle bonté ! Mais est-ce de bon cœur, Monsieur, que vous me pardonnez ces coups de bâton que…

GÉRONTE. – Eh! oui. Ne parlons plus de rien; je te pardonne
25 tout, voilà qui est fait.

SCAPIN. – Ah! Monsieur, je me sens tout soulagé depuis
cette parole.

GÉRONTE. – Oui; mais je te pardonne à la charge[1] que tu
mourras.

30 SCAPIN. – Comment, Monsieur?

GÉRONTE. – Je me dédis de ma parole, si tu réchappes[2].

SCAPIN. – Ahi, ahi. Voilà mes faiblesses qui me reprennent.

ARGANTE. – Seigneur Géronte, en faveur de notre joie, il
faut lui pardonner sans condition.

35 GÉRONTE. – Soit.

ARGANTE. – Allons souper ensemble, pour mieux goûter
notre plaisir.

SCAPIN. – Et moi, qu'on me porte au bout de la table, en
attendant que je meure.

---

1. **À la charge**: à condition.
2. **Je me dédis de ma parole, si tu réchappes**: je reprends ma parole si tu survis.

Un quiz pour commencer

Cochez les bonnes réponses.

1 *Où Scapin cache-t-il Géronte ?*
- ❏ Derrière lui.
- ❏ Dans un sac.
- ❏ Dans une cave.

2 *Qu'inflige Scapin à Géronte dans la scène 2 ?*
- ❏ Des coups de bâton.
- ❏ Des coups d'épée.
- ❏ Des coups de fouet.

3 *Que raconte Zerbinette à Géronte dans la scène 3 ?*
- ❏ Son enfance malheureuse.
- ❏ Sa rencontre avec Léandre.
- ❏ La vengeance de Scapin.

4 *Quel personnage s'avère être la fille de Géronte ?*

- ❑ Nérine.
- ❑ Hyacinte.
- ❑ Zerbinette.

5 *Quelle est la véritable identité de Zerbinette ?*

- ❑ C'est la fille d'Argante.
- ❑ C'est la sœur de Scapin.
- ❑ C'est la nourrice d'Octave.

6 *Quel objet révèle l'identité de Zerbinette ?*

- ❑ Un bracelet.
- ❑ Une bague.
- ❑ Une boîte à musique.

7 *Comment Géronte veut-il se venger de Scapin ?*

- ❑ En le rouant de coups.
- ❑ En lui tendant un piège.
- ❑ En le faisant pendre.

8 *Quelle est la dernière fourberie de Scapin ?*

- ❑ Il prétend qu'il veut devenir moine.
- ❑ Il feint d'être mourant.
- ❑ Il se déguise en femme.

Des questions pour aller plus loin

→ *Étudier le dénouement de la pièce*

De quiproquos en coups de théâtre

1 Dans la scène 3, que révèle Zerbinette à Géronte par maladresse? Pourquoi la situation est-elle amusante?

2 Quel coup de théâtre intervient dans la scène 7? En quoi résout-il le problème posé par le mariage d'Octave et de Hyacinte?

3 Quel quiproquo empêche Argante et Octave de se comprendre à la scène 10? Quel est l'effet produit?

4 La reconnaissance de Zerbinette par son père vous paraît-elle vraisemblable? Quelle partie de l'intrigue résout-elle?

5 En quoi l'annonce de Carle dans la scène 12 représente-t-elle un coup de théâtre? En vous appuyant sur la didascalie qui ouvre la scène 13, dites si cette annonce est vraie.

Le triomphe de l'amour

6 Dans la scène 1, Zerbinette, Hyacinte et Scapin évoquent l'amour: quelle vision chacun de ces personnages a-t-il de ce sentiment?

7 Dans la scène 1, que craint Zerbinette au sujet de sa relation avec Léandre? Le dénouement de la pièce lui donne-t-il raison?

8 Selon vous, qui de l'amour ou de l'autorité paternelle l'emporte à la fin de la pièce? Expliquez.

Un dénouement de comédie

9 Les coups de théâtre de cet acte (reconnaissances, annonce de la mort à venir de Scapin) vous paraissent-ils vraisemblables ? Quelle fonction ont-ils ?

10 Dans la scène 13, identifiez les deux raisons pour lesquelles Géronte accorde son pardon à Scapin. Ce dénouement vous semble-t-il réconcilier totalement les personnages ?

Zoom sur la scène 2 (p. 87-93)

11 Résumez l'histoire imaginée par Scapin pour convaincre Géronte de se cacher dans le sac. Quels moyens utilise-t-il pour l'effrayer ?

12 Quels rôles Scapin interprète-t-il dans cette scène ? À quels moments cesse-t-il de jouer la comédie ?

13 (Lecture d'image) En quoi la photographie reproduite sur la couverture fait-elle écho à la scène 2 ? Quels traits du caractère de Scapin cette image souligne-t-elle ?

14 Que pensez-vous du comportement de Scapin dans cette scène ? Ce moment de la pièce vous a-t-il amusé(e) ? Pourquoi ?

✔ Rappelez-vous !

• Le **dénouement est le moment de la pièce où l'intrigue se résout**. Dans une comédie, il repose souvent sur une série de coups de théâtre. Dans l'acte III des *Fourberies de Scapin*, les coups de théâtre ont lieu au cours de deux scènes de reconnaissance invraisemblables où les pères retrouvent enfin leurs filles.

• Le **dénouement d'une comédie est souvent heureux** : les mariages entre les jeunes amoureux sont acceptés et les personnages se réconcilient. Ici, même Scapin est pardonné grâce à une dernière fourberie : la mise en scène de sa propre mort.

De la lecture à l'écriture

 Des mots pour mieux écrire

1 Reliez chacune des expressions suivantes à la définition qui convient.

Un sac de nœuds. ●   ● Être très malin.

Être pris la main dans le sac. ●   ● Être mal habillé.

Avoir plus d'un tour dans son sac. ●   ● Être pris en flagrant délit.

Vider son sac. ●   ● Le succès est assuré.

L'affaire est dans le sac. ●   ● Piller, saccager.

Mettre à sac. ●   ● Une affaire compliquée.

Prendre son sac et ses quilles. ●   ● Généraliser son opinion à un groupe de personnes.

Mettre dans le même sac. ●   ● Dire ce que l'on a sur le cœur.

Être habillé comme un sac. ●   ● S'en aller sans rien réclamer.

2 **a.** *Parmi ces mots, identifiez ceux qui appartiennent à la famille du terme « vengeance ». Vous pouvez vous aider d'un dictionnaire.*

vindicatif

venger

engeance

riposte

vantardise

vindicte

vengeur

revêche

vendange

vengeresse

représailles

obligeance

revanche

b. *Choisissez trois de ces mots et employez chacun d'eux dans une phrase qui en éclairera le sens.*

À vous d'écrire

1 Scapin est réellement blessé et il meurt. Imaginez ce coup de théâtre et écrivez la suite de la dernière scène.

Consigne. Commencez votre dialogue par la didascalie suivante : « *Scapin pousse un râle et s'éteint.* » Imaginez les réactions des personnages (Silvestre, les amoureux et les pères) en respectant les informations données par la pièce sur leur caractère. Chacun d'eux devra prononcer au moins deux répliques.

2 Le professeur de théâtre de votre collège organise une représentation des *Fourberies de Scapin* et cherche des comédiens. Écrivez-lui pour lui dire quel rôle vous rêveriez d'interpréter et pour le convaincre de vous choisir.

Consigne. Dans une lettre d'une quinzaine de lignes, expliquez pourquoi vous appréciez ce personnage et exposez les raisons qui font de vous le comédien idéal pour ce rôle.

Du texte à l'image

• Scapin (Lionel Lingelser) dans la mise en scène d'Omar Porras, théâtre Malandro, Genève, 2009.

• Scapin (Gérard Giroudon) et Géronte (Malik Faraoun) dans la mise en scène de Jean-Louis Benoit, Comédie-Française, Paris, 2000.

➡ **Images reproduites en fin d'ouvrage, au verso de la couverture.**

👁 *Lire l'image*

1 Décrivez les deux photographies (personnages, accessoires, décor, couleurs). Quels points communs et quelles différences voyez-vous entre ces deux images ?

2 Caractérisez l'expression et l'attitude de chacun des personnages visibles sur les photographies.

📄 *Comparer le texte et l'image*

3 Quel(s) moment(s) précis de la scène 2 de l'acte III ces photographies peuvent-elles représenter ? Citez le(s) passage(s) concerné(s).

4 Sur les deux photographies, quels éléments (costume, décor, accessoires) pourrait-on trouver sur une scène du XVIIe siècle ? Lesquels vous semblent au contraire en décalage avec l'époque de la pièce ?

5 Selon vous, qu'a voulu montrer Omar Porras à travers ses choix de mise en scène ? Pour vous aider, appuyez-vous sur votre réponse à la question précédente.

6 Laquelle de ces deux photographies correspond le mieux à ce que vous imaginiez en lisant la scène 2 de l'acte III ? Pourquoi ?

✏ À vous de créer

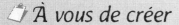

7 Comme Scapin dans la scène 2 de l'acte III, imaginez
une tirade qui imitera l'accent et le vocabulaire d'une région
que vous connaissez.

a. Appuyez-vous sur les paroles gasconnes de Scapin
lignes 63 à 77 (p. 90) : transformez-les en changeant l'accent
et les expressions utilisées.

b. Faites ensuite une mise en voix de votre tirade : entraînez-vous à
la dire à voix haute, avec l'accent et les intonations qui conviennent.

c. Vous pourrez organiser une petite représentation avec les autres
élèves de votre classe.

Des questions
sur l'ensemble de la pièce

Deux intrigues parallèles

1 Montrez que les personnages de la pièce fonctionnent par paires.

2 Quelles sont les deux intrigues de la pièce ? En quoi finissent-elles par se rejoindre ?

3 Quels points communs et quelles différences pouvez-vous établir entre Scapin et Silvestre ?

La mise en scène des fourberies

4 Quels rôles Scapin endosse-t-il dans la pièce ?

5 Récapitulez toutes les fourberies dont Scapin est l'auteur, qu'elles aient lieu sur scène ou non.

6 En quoi les fourberies de Scapin lui permettent-elles de bouleverser le rapport de force traditionnel entre maîtres et valets ?

7 (Lecture d'images) Observez les images reproduites en page I du cahier photos. Sur la peinture de Robert Hirsch, retrouvez les éléments de décor indiqués dans la pièce. Comparez ensuite les différents costumes imaginés pour le personnage de Scapin. Selon vous, lequel correspond le mieux au personnage ?

Une pièce comique

8 Recopiez le tableau suivant et complétez-le afin de récapituler les différents types de comique rencontrés dans la pièce.

Type de comique	Exemple dans la pièce
Comique de mots	
Comique de caractère	
Comique de gestes	
Comique de situation	
Comique de répétition	

9 Le dénouement de la pièce est-il vraiment heureux ? Le trouvez-vous comique ? Expliquez.

10 Cette pièce vous paraît-elle uniquement destinée à faire rire ? Quels thèmes font l'objet d'une critique ?

L'héritage de la farce et de la *commedia dell'arte*

11 Sur Internet, faites une recherche sur la farce au théâtre (définition, péripéties attendues). La pièce vous semble-t-elle correspondre à ce genre ? Expliquez.

12 a. Sur Internet, faites une recherche sur la *commedia dell'arte* (définition, époque, principaux personnages).

b. (Lecture d'images) Comparez les documents reproduits sur la page II du cahier photos. Déduisez-en quelques caractéristiques d'un spectacle de *commedia dell'arte* (costumes, attitude des personnages).

c. (Lecture d'images) Confrontez le dessin d'André Degaine à la liste des personnages des *Fourberies de Scapin*. Comparez ensuite la peinture du bas (➡ cahier photos, p. II) et les photographies de mise en scène (➡ cahier photos, p. III) : expression et attitude des personnages, accessoires, type de scène. Quelles caractéristiques de la *commedia dell'arte* retrouve-t-on dans la pièce de Molière ?

Des mots pour mieux écrire

Lexique du théâtre

Acte : grande unité de découpage d'une pièce de théâtre.

Aparté : réplique prononcée sur scène par un personnage sans que les autres personnages ne l'entendent.

Comédie : pièce de théâtre au dénouement heureux et dont l'intrigue vise à faire rire le spectateur.

Coup de théâtre : rebondissement dans l'intrigue.

Didascalie : indication de l'auteur pour la mise en scène (déplacements, gestes, ton...).

Exposition : première(s) scène(s) de la pièce, qui donne(nt) les informations importantes pour la compréhension de l'intrigue.

Mise en scène : ensemble des procédés utilisés pour représenter une pièce (décor, costumes, déplacements, intonations...).

Monologue : réplique d'un personnage seul en scène.

Quiproquo : malentendu entre des personnages.

Scène : plus petite unité de découpage d'une pièce de théâtre. Une scène commence à chaque fois qu'un personnage entre ou sort de scène.

Scène de reconnaissance : scène de révélation dans laquelle la véritable identité d'un personnage est reconnue.

Tirade : réplique particulièrement longue prononcée par un personnage.

Mots croisés

Tous les mots à placer dans la grille ci-dessous se trouvent dans le lexique des mots du théâtre.

Horizontalement

A. Indication de l'auteur pour la mise en scène.
B. Nom d'une réplique prononcée par un personnage seul sur scène.
C. Au début de la scène 4 de l'acte I, Argante n'entend pas ce que dit Scapin: ce type de réplique est appelé...
D. Longue réplique, comme celle de Scapin à propos de la justice dans la scène 5 de l'acte II.

Verticalement

1. Ensemble de scènes.
2. Genre théâtral opposé à la tragédie.
3. L'échange entre Scapin et Léandre à la scène 3 de l'acte II est fondé sur ce malentendu.

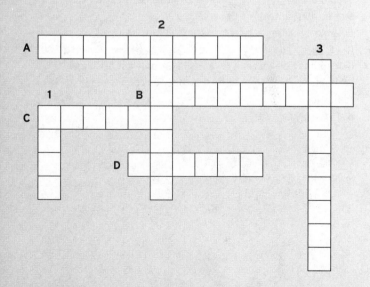

Lexique de la tromperie

Abuser : profiter de la confiance de quelqu'un pour le tromper.
Berner : faire croire quelque chose de faux à quelqu'un pour le ridiculiser.
Comploter : élaborer, préparer secrètement une ruse.
Dupe : personne qui se laisse tromper facilement.
Fourberie : tromperie fondée sur l'hypocrisie ou le mensonge.

Imposteur : personne qui se fait passer pour quelqu'un d'autre dans le but de tromper.
Leurre : illusion, piège.
Manigances : intrigues secrètes.
Perfidie : trahison.
Roublardise : astuce, ruse.
Stratagème : plan ingénieux.
Se jouer de quelqu'un : tromper, duper quelqu'un.
Traquenard : piège.

Complétez le résumé suivant à l'aide des termes du lexique de la tromperie qui conviennent et accordez-les ou conjuguez-les si nécessaire.

Scapin est un _____ car il se fait passer pour un valet zélé auprès d'Argante et de Géronte, qui en sont les _____. Cela n'est qu'un _____ dans le but de les _____. Il _____ de leur confiance et _____ avec Silvestre pour leur soutirer de l'argent. À l'acte III, Géronte est pris dans un véritable _____ où il se fait rouer de coups. À la fin de la pièce, toutes les _____ de Scapin sont découvertes, mais il se tire d'affaire grâce à sa _____.

À vous de créer

1 *Mettre en scène un passage des* **Fourberies de Scapin**

Par groupes de trois ou quatre élèves, vous allez mettre en scène un extrait de la pièce.

Étape 1. Choix et lecture préparatoire
– Choisissez une scène que vous aimeriez jouer et dont le nombre de personnages convient pour votre groupe (un élève pourra être le metteur en scène).
– Pensez à la situation de cette scène dans l'ensemble de la pièce : quels événements la précèdent ? De quelle humeur les personnages sont-ils ?
– Relisez la scène attentivement : que raconte-t-elle ? Que cherchent les personnages ? Y a-t-il des désaccords entre eux ? Que voulez-vous mettre en valeur dans cette scène ?

Étape 2. Mise en scène
– Répartissez-vous les rôles. Le metteur en scène pourra diriger les élèves comédiens et prendre des notes.
– Soulignez les didascalies présentes dans le texte. Imaginez d'autres gestes, déplacements et intonations nécessaires pour donner vie à la scène : notez-les au brouillon.
– Repérez les accessoires nécessaires et imaginez les costumes et les décors de la scène. Vous pouvez les fabriquer ou vous servir du mobilier de votre salle de classe, par exemple.

Étape 3. Répétitions et représentation
Entraînez-vous d'abord en vous aidant du texte puis apprenez-le par cœur. Enfin, interprétez la scène devant votre classe.
Le metteur en scène pourra expliquer vos choix et ce que vous avez apporté à la scène.

2 ✐ *Réaliser l'affiche des* Fourberies de Scapin *sur ordinateur*

Par groupes de trois ou quatre élèves, imaginez l'affiche qui annoncerait la représentation de cette pièce par une troupe de théâtre.

Étape 1. Choix des informations

Dressez la liste des différentes informations qui doivent figurer sur l'affiche : titre de la pièce, nom de l'auteur, nom et adresse du théâtre, lieu et heure de la représentation, nom du metteur en scène et de la troupe.

Étape 2. Illustration

– Grâce à un moteur de recherche, collectez des images (photographies de mises en scène, croquis, peinture…) en rapport avec la pièce.

– Choisissez l'image qui composera l'affiche : s'agira-t-il d'un ou de plusieurs personnages, d'un objet symbolisant l'intrigue, d'un moment clé de la pièce ? Cette image devra être représentative de la pièce et susciter l'intérêt du spectateur.

Étape 3. Réalisation

– Créez un nouveau document à l'aide d'un logiciel de traitement de texte ou d'image. Enregistrez-le sur votre ordinateur et nommez-le.

– Insérez l'image que vous avez sélectionnée. Réglez si besoin les paramètres d'habillage de façon à ce que l'image se trouve derrière le texte que vous ajouterez.

– Choisissez une police de caractères, réfléchissez au placement des informations et insérez le texte. Réglez le corps de la police afin que le texte comme l'image soient suffisamment visibles.

Groupements de textes

Ruses d'hier et d'aujourd'hui

Homère, *L'Odyssée*

Dans *L'Odyssée*, Homère (VIIIᵉ siècle av. J.-C.) relate les aventures d'Ulysse, roi d'Ithaque, depuis son départ de Troie où il s'est illustré au combat. Pour regagner sa patrie, Ulysse doit affronter une multitude de dangers. Dans cet extrait, le héros raconte comment, grâce à sa ruse, ses compagnons et lui ont échappé à un monstrueux cyclope, Polyphème.

À ces mots, il saisit la coupe et la but d'un trait. Le doux breuvage lui procura un plaisir immense ; il m'en redemanda :

– Encore ! N'hésite pas et dis-moi tout de suite quel est ton nom, vite, afin que je t'offre un présent d'hospitalité[1] qui te réjouisse. La terre fertile produit aussi du vin chez les Cyclopes et la pluie de Zeus fait croître des vignes à belles grappes

---

1. **Présent d'hospitalité** : cadeau de bienvenue.

mais ce que tu me donnes c'est une fontaine de nectar et d'ambroisie[1].

Ainsi parla-t-il et je lui versai à nouveau du vin sombre. Trois fois je lui en présentai et trois fois il le but, le pauvre sot. Quand le vin lui fut monté à la tête, je lui adressai ces paroles mielleuses[2] :

– Cyclope, tu me demandes mon illustre nom ? Eh bien, je vais te le dire, mais n'oublie pas le présent que tu m'as promis. Mon nom est Personne. Ma mère, mon père et tous mes compagnons m'appellent Personne.

Il me répondit aussitôt de son cœur impitoyable :

– Je mangerai Personne en dernier, après ses compagnons, quand j'aurai mangé tous les autres. Voilà le présent que je te fais !

Sur ces mots, il bascula en arrière et tomba sur le dos, son cou épais penché d'un côté. Le sommeil qui dompte tout s'empara de lui ; du vin mêlé de lambeaux de chair humaine s'échappait de son gosier et il vomissait, abruti par l'ivresse. J'enfonçai alors le pieu sous la cendre épaisse jusqu'à ce qu'il soit brûlant et encourageai de la voix tous mes compagnons afin que personne ne recule saisi par la peur. Quand la branche d'olivier fut sur le point de prendre feu, quoique verte, et qu'elle rougeoya intensément, je la retirai du feu et l'approchai du Cyclope. Mes compagnons m'entourèrent. Une divinité nous insuffla une audace inouïe[3]. Alors, ils soulevèrent le pieu d'olivier et plantèrent son extrémité pointue dans l'œil du Cyclope tandis que moi, je m'appuyais dessus de tout mon poids et le faisais pivoter, comme lorsqu'un homme perce une poutre de navire avec une vrille[4] et que d'autres, sous lui, la saisissent de part et d'autre avec une courroie et la font tourner sans cesse. [...]

1. **Nectar, ambroisie** : dans la mythologie grecque, boisson et nourriture des dieux.
2. **Mielleuses** : exagérément douces, trompeuses.
3. **Nous insuffla une audace inouïe** : nous transmit un courage incroyable.
4. **Vrille** : outil pointu servant à percer le bois.

Groupements de textes

Il appela au secours les Cyclopes qui vivaient près de là, dans des cavernes, sur les collines battues par les vents. Entendant ses cris, ils accoururent de tous côtés et, se tenant autour de la caverne, lui demandèrent ce qui le tourmentait :

– Que t'est-il arrivé, Polyphème, pour que tu cries ainsi, au milieu de la nuit, et que tu nous empêches de dormir ? Un mortel disperserait-il ton bétail contre ta volonté ? Essaie-t-on de te tuer, par la ruse ou par la force ?

Le robuste Polyphème leur répondit de l'intérieur de sa caverne :

– Personne, mes amis, Personne me tue par la ruse et non par la force !

Ils lui rétorquèrent alors ces paroles ailées :

– Si tu es tout seul et que personne ne te fait violence, ce doit être une maladie envoyée par le grand Zeus : il est impossible de l'éviter mais adresse une prière à notre père, le seigneur Poséidon.

Sur ces mots, ils s'éloignèrent et moi, je riais sous cape de voir que mon nom et mon subterfuge[1] parfait les avaient tous trompés.

Homère, *L'Odyssée* [VIIIe s. av. J.-C.], trad. du grec ancien par H. Tronc, Belin-Gallimard, « Classico », 2016.
© Gallimard.

Béroul, *Tristan et Iseut*

La reine Iseut entretient une liaison avec Tristan, le neveu de son époux Marc. Face aux soupçons de ce dernier, Iseut doit se rendre devant le roi Arthur pour prouver sa fidélité. Mais les deux amants ont prévu une ruse pour se jouer de toute l'assistance : Tristan, déguisé en lépreux[2], aide Iseut à traverser le passage boueux qui la sépare de l'assemblée, permettant ainsi à la jeune femme de prononcer un serment ambigu.

---

1. Subterfuge : ruse, stratagème.
2. Lépreux : homme souffrant de la lèpre, maladie touchant la peau et causant des infirmités. Au Moyen Âge, les lépreux étaient exclus de la société.

« Dis donc, lépreux, tu es bien gros ! Tourne ton visage par ici et ton dos par là. Je vais monter comme un homme, à califourchon. »

Alors le lépreux sourit, tourna le dos et elle monta. Les rois, les comtes, tout le monde les regardaient. Tristan glissa sa béquille sous les cuisses d'Iseut pour la porter et il avança. Il levait un pied et posait l'autre en faisant semblant de souffrir et de tomber souvent. La belle Iseut le chevauchait une jambe d'un côté, une de l'autre.

[…]

Arthur, qui était le plus près d'Iseut, prit la parole :

« Écoutez-moi, belle Iseut, entendez bien les mots que l'on attend de vous : que jamais Tristan n'a éprouvé pour vous d'amour vil[1] ou coupable en dehors de l'affection due à son oncle et à l'épouse de celui-ci.

– Seigneurs, dit-elle, par la grâce de Dieu, je vois ici les saintes reliques[2]. Écoutez donc ce que je jure et ce que j'assure au roi. Je jure, sur Dieu et sur saint Hilaire, sur ces reliques et cette châsse[3], sur toutes les reliques qui ne sont pas ici et sur celles qui sont par le monde, que jamais nul n'est passé entre mes cuisses sauf le lépreux qui m'a chargée sur son dos pour me faire traverser le gué, et le roi Marc, mon mari. J'exclus uniquement ces deux hommes de mon serment, personne d'autre. Je ne peux m'excuser de ces deux hommes : le roi Marc, mon époux, et le lépreux que j'ai tenu entre mes jambes. Si quelqu'un veut que j'ajoute quelque chose, j'y suis toute prête ici même. »

Tous ceux qui avaient écouté son serment ne pouvaient en supporter davantage.

« Dieu ! disaient-ils, avec quelle assurance elle a prêté serment ! Elle a fait ce que commandait la justice. Elle en a même dit plus que ce que les félons[4] demandaient et exigeaient. Une

---

1. **Vil** : immoral, indigne.
2. **Reliques** : restes d'un saint, auxquels les chrétiens vouent une vénération religieuse.
3. **Châsse** : sorte de coffret contenant des reliques.
4. **Félons** : seigneurs qui soupçonnaient la reine.

autre justification serait inutile ! Vous l'avez tous bien entendue ! Elle a juré et fait serment qu'entre ses cuisses personne d'autre que le lépreux qui l'a portée hier après-midi pour traverser le gué, et le roi Marc, son époux, n'est entré. Malheur à celui qui mettra sa parole en doute ! »

Béroul, *Tristan et Iseut* [1180], trad. de l'ancien français par S. Jolivet, Belin-Gallimard, « Classico », 2011. © Gallimard Jeunesse.

Le Roman de Renart

Entre 1175 et 1250, différents auteurs anonymes se succèdent pour rédiger ce recueil de récits ayant pour héros un rusé goupil du nom de Renart. Le succès des aventures de ce personnage est tel qu'en français, le mot « goupil » a été remplacé par le mot « renard » pour désigner l'animal roux. Dans cet extrait, Renart use d'un stratagème pour piéger le coq Chantecler, qu'il aimerait dévorer.

– Chantecler, lui dit-il alors, et de sa voix la plus suave[1], ne te sauve pas, n'aie pas peur. Je suis content de voir que tu te portes bien, car tu es mon cousin germain.

Chantecler reprend de l'assurance et entonne une chansonnette pour se remettre le cœur en joie. Et Renart dit à son cousin :

– Te souviens-tu de Chanteclin, ton bon père qui t'engendra ? Aucun coq ne chantait comme lui. D'une grande lieue[2] on l'entendait ! Il tenait admirablement l'aigu, il avait du coffre et du souffle… Quand il chantait, les yeux fermés, sa voix était puissante et pleine.

– Cousin Renart, dit Chantecler, serait-ce que tu veux me tendre un traquenard[3] ?

---

1. Suave : douce.
2. Lieue : ancienne unité de mesure de la distance (une lieue équivaut à environ 4 kilomètres).
3. Traquenard : piège.

– Mais non, dit Renart, quelle idée ! Ce n'est certes pas mon intention ! Mais chante donc ! Ferme les yeux ! Nous sommes de même chair, de même sang tous deux… Plutôt que tu aies le moindre ennui, j'aimerais mieux qu'il me manque une patte !

– Cousin Renart, je ne te crois pas. Écarte-toi donc un peu de moi, et je te chanterai une chanson à faire vibrer les environs ! On va l'entendre ma voix de fausset[1] ! Pas un voisin n'en sera privé !

Renardet en est tout sourire.

– En avant donc ! Chante cousin ! Je saurai bien si tu tiens ou non de Chanteclin, qui fut mon oncle !

Le coq commence dans le registre aigu… Un œil fermé, l'autre grand ouvert, car il se méfie du goupil… Il regarde souvent de son côté. Mais à peine a-t-il terminé :

– Cousin, dit Renart, tout ça ne vaut rien. C'est comme si tu n'avais rien fait ! Chanteclin chantait bien autrement ! Les yeux fermés, tout en longs traits, vingt clos[2] plus loin on l'entendait !…

Le coq prend cela pour argent comptant. Fermant les deux yeux cette fois, il attaque sa mélodie, passionnément, de tout son cœur. Renart ne peut plus résister. Jaillissant de dessous un chou rouge, il attrape l'autre par le col[3], et prend la fuite avec sa proie – tout joyeux parce que, pour une fois, il ne rentrera pas chez lui bredouille.

Le Roman de Renart [1175-1250], II, 3, trad. de l'ancien français
par P. Mezinski, Belin-Gallimard, « Classico », 2020.
© Gallimard.

—————

1. **Voix de fausset** : voix aiguë.
2. **Clos** : enclos.
3. **Col** : cou.

Le Tailleur du roi et son Apprenti

Dans ce fabliau anonyme, le jeune Nidui est l'un des apprentis d'un maître tailleur. Lors d'un repas, celui-ci a joué un tour à Nidui afin de le priver du miel (aliment de choix à l'époque) qui avait été servi au dessert. L'apprenti imagine une ruse pour se venger.

Un jour, il vint en grand secret trouver le chambellan[1] et s'adressa à lui à mots couverts[2] : «Seigneur, lui dit-il, au nom de Dieu, je vous prie de m'écouter car il faut que vous soyez mis au courant d'une certaine chose : périodiquement[3], à chaque changement de lune, notre maître a des troubles mentaux ; il perd le sens[4] et devient fou et si, alors, il n'est pas rapidement ligoté, toute personne qui croise son chemin risque de ne plus jamais pouvoir manger de pain ! »

Le chambellan répondit alors à Nidui :

«En vérité, si je pouvais prévoir précisément le début de ces crises, je le ferais si bien ligoter qu'il ne pourrait vous causer aucun dommage. »

Nidui répliqua alors :

«Je vais vous dire comment cela se passe, car j'ai déjà eu l'occasion d'assister à ses crises : quand il se mettra à regarder ici et là et à battre de la main l'espace autour de lui et quand il se relèvera brusquement en bousculant son escabeau, alors vous pourrez être assuré que c'est sa folie qui le prend et il n'en sortira pas avant d'être ligoté et battu. »

Le chambellan dit alors à Nidui :

«Je vais le surveiller du mieux que je le pourrai et quand je verrai les signes avant-coureurs[5] de la crise que vous m'avez décrits, je le ferai ligoter et battre. Plaise à Dieu que, par suite de sa folie, personne d'entre nous ne perde la vie ! »

---

1. Chambellan : homme de naissance noble attaché au service d'un roi ou d'un grand seigneur.
2. À mots couverts : à voix basse.
3. Périodiquement : régulièrement.
4. Le sens : la raison.
5. Avant-coureurs : annonciateurs.

Nidui ne perdit pas de temps : il cacha les ciseaux de son maître. Un jour, ce dernier voulut couper une pièce d'étoffe mais il ne put mettre la main sur ses ciseaux ; il regarda ici et là et se releva brusquement en bousculant son escabeau pour chercher partout ses ciseaux. Il tapota du pied le sol tout autour de lui et se comporta comme quelqu'un qui aurait perdu la raison. Quand le chambellan le vit agir ainsi, il n'en fut point réjoui ; il appela aussitôt les apprentis et leur ordonna de ligoter leur maître. Ceux-ci lui obéirent : ils lièrent leur maître et le battirent jusqu'à en être complètement fourbus[1] puis ils le délièrent. Quand il fut libéré, le maître tailleur demanda au chambellan pourquoi il l'avait fait attacher et aussi vilainement[2] maltraiter.

« Nidui me l'a conseillé, répondit-il, en me faisant entendre que périodiquement, lors des changements de lune, vous aviez des accès de démence[3] et que si l'on ne vous attachait solidement, l'un ou l'autre d'entre nous pourrait en subir les conséquences. »

Le maître tailleur appela Nidui :

« Depuis quand as-tu appris que j'avais périodiquement des accès de folie ? » lui demanda-t-il.

Et Nidui lui répliqua :

« Et vous, dites-moi donc aussi depuis quand je ne mange pas de miel ! »

Le chambellan et tous les apprentis, petits et grands, éclatèrent de rire et ce fut à juste titre, car celui qui trompe son compagnon mérite d'en recevoir la monnaie de sa pièce.

Celui qui sème le mal récolte ce qu'il a semé.

Le Tailleur du roi et son Apprenti [XIIIᵉ s. env.], dans *Fabliaux du Moyen Âge*, trad. de l'ancien français par J.-C. Aubailly, LGF, « Classiques de poche », 1987.

---

1. **Fourbus** : épuisés.
2. **Vilainement** : méchamment.
3. **Accès de démence** : crises de folie.

Michel Tournier, *Vendredi ou la Vie sauvage*

Né en 1924, Michel Tournier a adapté dans ce roman l'histoire de Robinson Crusoé. Naufragé sur une île déserte, ce personnage y fait la connaissance d'un jeune Indien, qu'il nomme Vendredi. La cohabitation entre deux hommes si différents est parfois délicate, d'autant que Robinson tente d'imposer les usages de sa civilisation. Vendredi imagine un moyen détourné pour exprimer son mécontentement envers son ami.

Maintenant, Vendredi était libre. Il était l'égal de Robinson. Aussi ils pouvaient se fâcher l'un contre l'autre.

C'est ce qui arriva lorsque Vendredi prépara dans un grand coquillage une quantité de rondelles de serpent avec une garniture de sauterelles. Depuis plusieurs jours d'ailleurs, il agaçait Robinson. Rien de plus dangereux que l'agacement quand on doit vivre seul avec quelqu'un. Robinson avait eu la veille une indigestion de filets de tortue aux myrtilles. Et voilà que Vendredi lui mettait sous le nez cette fricassée de python et d'insectes! Robinson eut un haut-le-cœur[1] et envoya d'un coup de pied la grande coquille rouler dans le sable avec son contenu. Vendredi, furieux, la ramassa et la brandit à deux mains au-dessus de la tête de Robinson.

Les deux amis allaient-ils se battre? Non! Vendredi se sauva.

Deux heures plus tard, Robinson le vit revenir en traînant derrière lui sans douceur une sorte de mannequin. La tête était faite dans une noix de coco, les jambes et les bras dans des tiges de bambou. Surtout, il était habillé avec des vieux vêtements de Robinson, comme un épouvantail à oiseaux. Sur la noix de coco, coiffée d'un chapeau de marin, Vendredi avait dessiné le visage de son ami. Il planta le mannequin debout près de Robinson.

— Je te présente Robinson Crusoé, gouverneur de l'île de Speranza, lui dit-il.

---

1. **Haut-le-cœur**: nausée.

Puis il ramassa la coquille sale et vide qui était toujours là et, avec un rugissement, il la brisa sur la noix de coco qui s'écroula au milieu des tubes de bambou brisés. Ensuite Vendredi éclata de rire, et alla embrasser Robinson.

Robinson comprit la leçon de cette étrange comédie. Un jour que Vendredi mangeait des gros vers de palmier vivants roulés dans des œufs de fourmis, Robinson exaspéré alla sur la plage. Dans le sable mouillé, il sculpta une sorte de statue couchée à plat ventre avec une tête dont les cheveux étaient des algues. On ne voyait pas la figure cachée dans l'un des bras replié, mais le corps brun et nu ressemblait à Vendredi. Robinson avait à peine terminé son œuvre quand Vendredi vint le rejoindre, la bouche encore pleine de vers de palmier.

– Je te présente Vendredi, le mangeur de serpents et de vers, lui dit Robinson en lui montrant la statue de sable.

Puis il cueillit une branche de coudrier[1] qu'il débarrassa de ses rameaux et de ses feuilles, et il se mit à fouetter le dos et les fesses du Vendredi de sable qu'il avait fabriqué dans ce but.

Dès lors, ils vécurent à quatre sur l'île. Il y avait le vrai Robinson et la poupée Robinson, le vrai Vendredi et la statue de Vendredi, et tout ce que les deux amis auraient pu se faire de mal – les injures, les coups, les colères – ils le faisaient à la copie de l'autre. Entre eux ils n'avaient que des gentillesses.

Michel Tournier, *Vendredi ou la Vie sauvage* [1971],
Belin-Gallimard, «Classico», 2011.
© Gallimard.

---

1. **Coudrier**: noisetier.

Petites et grandes vengeances

Chrétien de Troyes, *Yvain ou le Chevalier au lion*

Yvain ou le Chevalier au lion est l'un des plus anciens romans de chevalerie : Chrétien de Troyes (vers 1135-vers 1183) l'a écrit entre 1177 et 1181. Réunis à la cour du roi Arthur, les chevaliers relatent leurs aventures et leurs exploits. L'un d'eux, Calogrenant, raconte un combat dont il est sorti vaincu et humilié. Son cousin Yvain jure alors devant l'assemblée de venger son honneur en affrontant son mystérieux ennemi.

Messire Yvain maintenant monte. Il vengera, s'il peut, la honte de son cousin Calogrenant.

[...]

Dès que la joie fut revenue, de courroux plus ardent que braise[1] vient un chevalier menant si grand bruit comme s'il eût chassé cerf en rut. Dès qu'ils se virent ils s'entrevinrent comme s'entrehaïssant de mort. Chacun avait lance roide et forte.

Les lances se fendent et s'éclissent[2] et les tronçons volent au loin. S'assaillent alors à l'épée. Ils frappent à tour de bras, coupent les guiches[3] des écus, frappent par-dessus, par-dessous et déchiquettent les écus si bien qu'en pleuvent les morceaux. Ils ne peuvent s'en couvrir ni s'en défendre. Ils les ont tant taillés en pièces qu'à délivre sur les côtés, sur la poitrine et sur les hanches frappent à grands coups les épées blanches. Terriblement ils s'entr'éprouvent, mais jamais d'un étal ne bougent[4] non plus que le feraient deux grès[5]. Jamais on ne vit deux chevaliers plus acharnés à leur mort ! N'ont cure de

---

1. **De courroux plus ardent que braise** : bouillant de colère.
2. **S'éclissent** : éclatent.
3. **Guiches** : courroies qui servent à tenir le bouclier.
4. **Jamais d'un étal ne bougent** : ils ne se déplacent pas d'un pouce.
5. **Deux grès** : deux rocs.

gâter leurs coups et les emploient le mieux qu'ils peuvent. Les heaumes ploient et se fendent et des hauberts les mailles volent, teintées de sang. Les hauberts sont tant mis à mal qu'ils ne valent guère plus qu'un froc[1]. Au visage se frappent d'estoc[2]! C'est merveille comme tant dure une bataille si fière et dure. Mais tous deux sont de tel courage que l'un ne céderait à l'autre pour rien au monde un pied de terre – si ce n'est pour la mort de l'autre! Ils firent ainsi en vrais preux car ne blessèrent ni estropièrent leur cheval ni ne voulurent qu'ils ne vautrent[3], mais toujours à cheval se tinrent. Pas une fois ils ne furent à pied. À la fin messire Yvain écartela le heaume du chevalier tout étourdi et effrayé de ce coup, car jamais n'en avait reçu aussi mauvais qui lui eût, dessous la coiffe[4], fendu le chef[5] jusqu'à la cervelle.

Chrétien de Troyes, *Yvain ou le Chevalier au lion* [v. 1177-1181], trad. de l'ancien français par J.-P. Foucher, Belin-Gallimard, «Classico», 2016. © Gallimard.

Molière, *Le Médecin malgré lui*

Cette pièce de Molière (1622-1673) s'ouvre sur une dispute entre le bûcheron Sganarelle et son épouse Martine. En retour des virulents reproches qu'elle lui adresse, Martine reçoit de Sganarelle plusieurs coups de bâton visant à la faire taire. Peu après, elle croise le chemin de Valère et Lucas, deux domestiques, et voit dans cette rencontre l'occasion de se venger de son époux.

MARTINE. – Serait-ce quelque chose où je puisse vous aider?

VALÈRE. – Cela se pourrait faire; et nous tâchons de rencontrer quelque habile homme, quelque médecin particulier, qui

---

1. **Froc**: robe de moine.
2. **D'estoc**: avec la pointe de l'épée.
3. **Qu'ils ne vautrent**: qu'ils ne tombent.
4. **Coiffe**: partie du haubert qui couvre la tête.
5. **Chef**: tête.

pût donner quelque soulagement à la fille de notre maître, attaquée d'une maladie qui lui a ôté tout d'un coup l'usage de la langue. Plusieurs médecins ont déjà épuisé toute leur science après elle : mais on trouve parfois des gens avec des secrets admirables, de certains remèdes particuliers, qui font le plus souvent ce que les autres n'ont su faire ; et c'est là ce que nous cherchons.

MARTINE. *Elle dit ces premières lignes bas.* – Ah ! que le Ciel m'inspire une admirable invention pour me venger de mon pendard[1] ! (*Haut.*) Vous ne pouviez jamais vous mieux adresser pour rencontrer ce que vous cherchez ; et nous avons ici un homme, le plus merveilleux homme du monde, pour les maladies désespérées.

VALÈRE. – Et de grâce, où pouvons-nous le rencontrer ?

MARTINE. – Vous le trouverez maintenant vers ce petit lieu que voilà, qui s'amuse à couper du bois.

LUCAS. – Un médecin qui coupe du bois !

VALÈRE. – Qui s'amuse à cueillir des simples[2], voulez-vous dire ?

MARTINE. – Non : c'est un homme extraordinaire qui se plaît à cela, fantasque, bizarre, quinteux[3], et que vous ne prendriez jamais pour ce qu'il est. Il va vêtu d'une façon extravagante, affecte[4] quelquefois de paraître ignorant, tient sa science renfermée, et ne fuit rien tant tous les jours que d'exercer les merveilleux talents qu'il a eus du Ciel pour la médecine.

VALÈRE. – C'est une chose admirable, que tous les grands hommes ont toujours du caprice, quelque petit grain de folie mêlé à leur science.

MARTINE. – La folie de celui-ci est plus grande qu'on ne peut croire, car elle va parfois jusqu'à vouloir être battu pour

Groupements de textes

---

1. Pendard : vaurien.
2. Simples : plantes médicinales.
3. Fantasque : extravagant, étonnant ; **quinteux** : capricieux.
4. Affecte : feint, fait semblant.

demeurer d'accord de sa capacité[1] ; et je vous donne avis que vous n'en viendrez point à bout, qu'il n'avouera jamais qu'il est médecin, s'il se le met en fantaisies que vous ne preniez chacun un bâton, et ne le réduisiez[2] à force de coups, à vous confesser[3] à la fin ce qu'il vous cachera d'abord. C'est ainsi que nous en usons quand nous avons besoin de lui.

VALÈRE. – Voilà une étrange folie !

MARTINE. – Il est vrai ; mais, après cela, vous verrez qu'il fait des merveilles.

Molière, *Le Médecin malgré lui* [1666], acte I, scène 4,
Belin-Gallimard, « Classico », 2013.

Jack London, *L'Appel de la forêt*

Le héros de ce roman de Jack London (1876-1916) est un chien, Buck. Il a été arraché au confort de sa vie californienne pour devenir chien de traîneau dans le grand Nord américain. Maltraité par différents propriétaires, Buck trouve enfin la paix et l'amour auprès de Thornton, son nouveau maître. Le roman s'achève sur un terrible épisode : alors qu'il rentre d'une chasse de plusieurs jours, Buck découvre que le camp où il vit a été entièrement dévasté par les Indiens. La mort de Thornton le pousse alors à se venger sauvagement.

Il entendit alors s'élever du camp une sorte de mélopée[4] sauvage et monotone. Rampant à plat ventre au bord de la clairière, il découvrit le cadavre de Hans, couché sur la face, le corps hérissé de flèches comme un porc-épic. Mais au même instant, il aperçut par les interstices[5] des branches un spectacle qui lui fit hérisser le poil et le remplit d'une rage

---

1. **Pour demeurer d'accord de sa capacité** : pour avouer ses compétences de médecin.
2. **Ne le réduisiez** : ne le forciez.
3. **Confesser** : avouer.
4. **Mélopée** : chant, mélodie.
5. **Interstices** : petits espaces vides.

aveugle. La présence pressentie prenait corps ; elle était visible sous la forme d'une troupe de Peaux-Rouges Yeehats[1], dansant la danse de guerre autour de la cabane en ruine de John Thornton…

Un grondement féroce s'échappe de la poitrine convulsée[2] de Buck ; la passion détruit soudain les conseils de la prudence et de la ruse si chèrement acquises ; il s'élance, tombe comme un tourbillon sur les Yeehats ahuris et épouvantés. Ivre de carnage et de mort, l'animal bondit de l'un à l'autre, saute sur le chef, lui ouvre la gorge d'un coup de dent qui tranche la carotide[3], et sans s'attarder à l'achever, tourne sa rage sur le second guerrier qui subit un sort pareil. En vain les hommes veulent résister ; la bête est partout à la fois. Elle se dérobe à leurs coups et sème sur son passage la destruction et la terreur. Les sauvages veulent l'abattre à coups de flèches ; ils se blessent les uns les autres sans atteindre leur ennemi, l'un d'eux essaye de transpercer de sa lance le démon agile qui bondit au milieu d'eux ; l'arme pénètre dans la poitrine d'un de ses compagnons qui s'abat avec un cri affreux.

Alors la panique s'empare des Yeehats. Ils s'enfuient terrifiés dans la forêt, proclamant à grands cris l'apparition de l'Esprit du Mal.

Jack London, *L'Appel de la forêt* [1903], trad. de l'anglais par Mme de Galard, Belin-Gallimard, « Classico », 2009.

---

1. **Peaux-Rouges Yeehats** : membres d'une tribu indienne d'Amérique du Nord.
2. **Convulsée** : prise de convulsions, c'est-à-dire de sursauts, de tremblements.
3. **Carotide** : artère située dans le cou.

Louis Pergaud, *La Guerre des boutons*

Dans ce roman, Louis Pergaud (1882-1915) raconte l'inlassable gué-rilla que mènent les enfants du village de Longeverne contre ceux de Velrans. Dans cet extrait, les enfants de Longeverne mettent à exécution le plan qu'ils ont bâti pour se venger d'une injure adres-sée par leurs ennemis. Ils inscrivent ainsi un message insultant sur la porte de l'église de Velrans.

Attentifs au moindre bruit, s'aplatissant au fond des fossés, se collant aux murs ou se noyant dans l'obscurité des haies, ils se glissaient, ils s'avançaient comme des ombres, craignant seulement l'apparition insolite[1] d'une lanterne portée par un indigène[2] se rendant à la veillée ou la présence d'un voyageur attardé menant boire son carcan[3]. Mais rien ne les ennuya que l'aboi du chien de Jean des Gués, un salopiot qui gueulait continuellement.

Enfin ils parvinrent sur la place du moutier[4] et ils s'avan-cèrent sous les cloches. Tout était désert et silencieux. Le chef resta seul pendant que les quatre autres revenaient en arrière pour faire le guet. Alors prenant son bout de craie au fond de sa profonde[5], haussé sur ses orteils aussi haut que possible, Lebrac inscrivit sur le lourd panneau de chêne culotté[6] et noirci qui fermait le saint lieu, cette inscription lapidaire[7] qui devait faire scandale le lendemain, à l'heure de la messe, beau-coup plus par sa crudité[8] héroïque et provocante que par son orthographe fantaisiste :

Tou lé Velrant çon dé paigne ku[9] !

---

1. **Insolite** : inattendue.
2. **Indigène** : habitant de ces lieux.
3. **Carcan** : animal portant un carcan, sorte de collier l'empêchant de traverser les haies.
4. **Moutier** : église. [*Note de Louis Pergaud.*]
5. **Profonde** : poche (familier).
6. **Culotté** : noirci et patiné par le temps.
7. **Lapidaire** : courte.
8. **Crudité** : brutalité.
9. **Paigne ku** : peigne-cul (insulte).

Et quand il se fut, pour ainsi dire, collé les quinquets[1] sur le bois pour voir « si ça avait bien marqué », il revint près des quatre complices aux écoutes et, à voix basse et joyeusement, leur dit :

« Filons ! »

Carrément, cette fois, ils s'engagèrent de front sur le milieu du chemin et repartirent, sans faire de bruit inutile, à l'endroit où ils avaient abandonné leurs sabots et leurs bas. Mais sitôt rechaussés, dédaigneux[2] tout à fait d'inutiles précautions, frappant le sol à pleins sabots, ils regagnèrent Longeverne et leurs domiciles respectifs en attendant avec confiance l'effet de leur déclaration de guerre.

Louis Pergaud, *La Guerre des boutons* [1912],
Gallimard, « Folioplus classiques », 2006.

Roald Dahl, *Coup de gigot*

L'écrivain britannique Roald Dahl (1916-1990) compose des récits malicieux, teintés de fantaisie et parfois d'humour noir. Dans cette nouvelle, Mrs Maloney est dévouée à son époux, qu'elle aime passionnément. Mais un soir, alors qu'elle se soucie de la fatigue de son époux et qu'elle insiste pour lui préparer à dîner, ce dernier lui annonce qu'il la quitte.

Elle eut la force de dire :

– Je vais préparer le dîner.

Et cette fois, il ne la retint pas.

En traversant la pièce, elle eut l'impression que ses pieds ne touchaient pas le sol. Elle ne ressentit rien, rien excepté une légère nausée. Tout était devenu automatique. Les marches qui la conduisaient à la cave. L'électricité. Le réfrigérateur. Sa main qui y plongea pour attraper l'objet le plus proche. Elle le sortit, le regarda. Il était enveloppé. Elle retira le papier.

---

1. Quinquets : yeux.
2. Dédaigneux : méprisants.

C'était un gigot d'agneau.

Bien. Il y aurait du gigot pour dîner. Tenant à deux mains le bout de l'os, elle remonta les marches. Et lorsqu'elle traversa la salle de séjour, elle aperçut son mari, de dos, debout devant la fenêtre. Elle s'arrêta.

– Pour l'amour de Dieu, dit-il sans se retourner, ne prépare rien pour moi. Je sors.

Alors, Mary Maloney fit simplement quelques pas vers lui et, sans attendre, elle leva le gros gigot aussi haut qu'elle put au-dessus du crâne de son mari, puis cogna de toutes ses forces. Elle aurait pu aussi bien l'assommer d'un coup de massue.

Elle recula. Il demeura miraculeusement debout pendant quelques secondes, en titubant un peu. Puis il s'écroula sur le tapis.

Dans sa chute qui fut violente, il entraîna un guéridon[1]. Le tintamarre aida Mary Maloney à sortir de son état de demi-inconscience, à reprendre contact avec la réalité. Étonnée et frissonnante, serrant toujours de ses deux mains son ridicule gigot, elle contempla le corps.

« Ça y est, se dit-elle. Je l'ai tué. »

[…]

Elle alla dans la cuisine, alluma le four et mit le gigot à rôtir. Puis elle se lava les mains et monta dans sa chambre en courant. Là, elle s'assit devant sa coiffeuse[2], se donna un coup de peigne, se repoudra et mit un peu de rouge à lèvres.

Roald Dahl, *Coup de gigot* [1961] dans *Coup de gigot et autres histoires à faire peur*, trad. de l'anglais par É. Gaspar et H. Barberis, Gallimard, « Folio junior », 2007.

Groupements de textes

---

1. Guéridon : petite table.
2. Coiffeuse : meuble muni d'un miroir, devant lequel les femmes s'assoient pour se coiffer et se maquiller.

Autour de l'œuvre

Interview imaginaire de Molière

Molière (1622-1673)

▶▶▶ *Molière est votre nom de théâtre: quelle est votre véritable identité?*

En effet, Molière n'est pas mon vrai nom, c'est un pseudonyme que j'ai pris quand j'ai commencé ma carrière de comédien en 1644. Je m'appelle Jean-Baptiste Poquelin et je suis né à Paris en 1622.

▶▶▶ *Avez-vous toujours envisagé de faire du théâtre?*

Pas du tout! Mon père était tapissier et à partir de 1631, il est devenu «tapissier ordinaire et valet de chambre du roi»; il comptait alors sur moi pour prendre sa relève, cette charge étant héréditaire. J'ai aussi fait des études de droit à Orléans et je suis devenu avocat à Paris durant quelque temps.

▶▶ *Qu'est-ce qui a suscité votre vocation pour le théâtre ?*

J'ai toujours aimé le théâtre. Très jeune, mon grand-père m'emmenait voir des farces jouées par des comédiens italiens sur le Pont-Neuf, ainsi que des tragédies à l'Hôtel de Bourgogne, à Paris : j'étais fasciné. Cependant, c'est une rencontre qui a bouleversé mon destin. En 1643, j'ai fait la connaissance de Madeleine Béjart, dont je suis tombé amoureux. Madeleine et ses frères étaient comédiens et j'ai décidé de renoncer à la charge de tapissier de mon père pour fonder une troupe de théâtre avec eux : ainsi avons-nous créé l'Illustre-Théâtre.

▶▶ *Comment avez-vous rencontré le succès ?*

Nos débuts avec l'Illustre-Théâtre ont été très difficiles. J'ai accumulé des dettes et la troupe a fait faillite deux ans seulement après sa création. Comme je ne pouvais pas rembourser mes créanciers, j'ai même fait un court séjour en prison !

Mes compagnons et moi avons alors décidé de devenir une troupe itinérante : pendant treize ans, nous avons sillonné les routes de France pour donner des représentations.

En 1658, nous avons regagné Paris. J'ai alors obtenu le soutien du roi, séduit par la représentation du *Docteur amoureux*, une courte farce que j'avais écrite et qui l'a beaucoup fait rire. Il m'a alors accordé une subvention ainsi que le droit d'occuper le théâtre du Petit-Bourbon, que nous avons partagé avec les comédiens italiens. Le jeu de la *commedia dell'arte* m'a beaucoup influencé. Toutefois, nous avons d'abord joué des tragédies, notamment celles de Pierre Corneille. J'ai ensuite écrit mes pièces les plus célèbres, et c'est en jouant mes propres comédies que j'ai connu un réel succès. En 1665, le roi a accordé à ma compagnie le titre de « troupe du roi ».

▶▶ *Malgré ces succès, vous avez ensuite connu certains revers, n'est-ce pas ?*

En effet. Mes pièces, qui se moquent souvent des vices des hommes, ne plaisent pas à tout le monde. Après le succès des *Précieuses ridicules* en 1659, pièce dans laquelle je tournais en dérision les excès de coquetterie de certains personnages de la cour, j'ai eu la surprise de découvrir un matin mon théâtre entièrement démoli en guise de représailles.

En 1664, le roi m'a fait l'honneur de devenir le parrain de mon premier enfant. Pourtant, quelques mois plus tard, mes ennemis l'ont convaincu d'interdire l'une de mes pièces, *Tartuffe*.

Mes détracteurs m'ont aussi attaqué sur ma vie privée lorsque j'ai épousé la fille de Madeleine Béjart, Armande, ma cadette d'environ vingt ans.

▶▶ *La légende prétend que vous êtes mort sur scène: est-ce vrai?*

En 1673, j'étais réellement malade, mais je continuais à me produire sur scène. Le soir de la quatrième représentation du *Malade imaginaire*, j'ai été pris d'un malaise qui a obligé la troupe à interrompre la représentation. Je suis mort quelques heures plus tard, dans mon lit, entouré de mes proches.

▶▶ *Dans quel contexte avez-vous écrit* **Les Fourberies de Scapin** *?*

En 1671, ma pièce à grand spectacle *Psyché* devait être jouée au théâtre du Palais-Royal, mais les travaux à effectuer dans la salle pour l'accueillir étaient importants. J'ai donc écrit rapidement une comédie, *Les Fourberies*, dont j'ai donné dix-huit représentations, jusqu'à la première de *Psyché*. Ce retour à la comédie légère m'a permis de renouer avec mes premières inspirations: la farce et la *commedia dell'arte*.

Contexte historique et culturel

❊ Le règne de Louis XIV

Louis XIV (1638-1715) devient roi de France en 1643. Il est alors âgé de cinq ans et c'est sa mère, Anne d'Autriche (1601-1666), qui assure la régence avec l'aide du ministre Mazarin (1602-1661).

À la mort de Mazarin en 1661 commence le règne personnel de Louis XIV. Considérant qu'il a reçu son pouvoir de Dieu, il estime que son autorité doit s'imposer à tous ses sujets. Le roi s'entoure de conseillers et de ministres mais prend ses décisions seul. Il rend la justice, décide des lois, planifie les stratégies militaires. Il porte à son apogée la monarchie absolue de droit divin. Sous son règne, la France devient la première puissance économique, politique et militaire d'Europe.

Louis XIV
en costume de Soleil,
gravure du XVIIe siècle.

Si le règne de Louis XIV a été long et prestigieux, il a également ruiné le pays à cause des guerres et des fastes excessifs de la cour. Lorsque le roi s'éteint en 1715, la monarchie est devenue très impopulaire auprès des Français.

❊ L'essor de la bourgeoisie

Au XVIIe siècle, la bourgeoisie est une classe sociale aisée mais ses membres, qui appartiennent au Tiers-État, ne font pas partie de la noblesse. Argante et Géronte illustrent l'essor de cette catégorie sociale, soucieuse de son confort matériel et des convenances, et où domine l'autorité des pères de famille.

Le Roi-Soleil, protecteur des arts

En 1682, Louis XIV décide d'installer la cour à Versailles et quitte le Louvre. Le château de Versailles, en construction depuis 1661, ainsi que ses jardins deviennent les symboles de l'art classique français. Amoureux des arts, le Roi-Soleil œuvre pour le rayonnement de la culture française à travers l'Europe.

C'est le roi qui autorise la publication et la diffusion des œuvres d'art; il choisit d'aider financièrement certains artistes, à qui il commande des créations lui permettant d'asseoir sa gloire et son autorité.

Versailles devient le lieu privilégié de coûteuses fêtes pendant lesquelles ont lieu des concerts, des ballets, des pièces de théâtre. Ces festivités contribuent à l'essor de nouvelles formes artistiques telles que la tragédie lyrique, les pièces à machines ou la comédie-ballet. Ce genre de spectacle, inventé par Molière et par le compositeur italien Lully (1632-1687), mêle théâtre, musique et danse (comme *Le Bourgeois gentilhomme*, créé en 1670).

Le théâtre au XVIIe siècle

Le théâtre du XVIIe siècle est très influencé par l'art italien, dans l'architecture des salles de théâtre tout d'abord. Paris se dote petit à petit de salles dites « à l'italienne ». La scène y est surélevée dans une salle ovale structurée en plusieurs étages, où les spectateurs prennent place selon leur condition sociale : les places du parterre sont les moins chères, les places des loges les plus coûteuses. La salle à l'italienne permet aussi le développement d'une machinerie complexe et les décors en vogue à cette époque adoptent les règles de la perspective des peintres italiens. Le spectacle est éclairé à l'aide de chandelles qu'il faut changer régulièrement : c'est à cela que servent les entractes.

Le théâtre italien influence aussi les comédies en elles-mêmes : Molière s'inspire beaucoup de l'art des comédiens italiens, la *commedia dell'arte*. Il lui emprunte des personnages types et un jeu très appuyé, dans lequel la gestuelle est volontairement exagérée pour amuser le spectateur.

❋ La profession de comédien

Au XVIIᵉ siècle, les comédiens sont considérés comme des mar-
ginaux et on les accuse de mener une vie immorale. Ils vivent en
troupes et peinent souvent à subvenir à leurs besoins. Des membres
du clergé les frappent d'excommunication : ils ne sont dès lors plus
comptés dans la communauté des chrétiens et n'ont pas le droit d'être
enterrés religieusement. À la mort de Molière en 1673, ses proches
obtiennent une autorisation exceptionnelle de Louis XIV pour le faire
inhumer selon les rites chrétiens, mais dans le plus grand secret et
en pleine nuit.

Repères chronologiques

1610	**Mort d'Henri IV. Louis XIII lui succède.**
1622	Naissance de Jean-Baptiste Poquelin à Paris.
1624	**Richelieu parvient au pouvoir en tant que Premier Ministre.**
1635	Nicolas Poussin, *L'Enlèvement des Sabines* (peinture).
1637	Pierre Corneille, *Le Cid* (tragi-comédie).
1643	**Mort de Louis XIII. Louis XIV lui succède. Régence d'Anne d'Autriche.**
	Molière fonde l'Illustre-Théâtre avec les Béjart.
1644	Jean-Baptiste Poquelin prend le pseudonyme de Molière.
1648-1653	**La Fronde : révolte du Parlement et des princes pour renverser Mazarin. Victoire du pouvoir royal.**
1659	Molière, *Les Précieuses ridicules* (comédie), premier succès de la troupe à Paris.
1661	**Mort de Mazarin. Louis XIV gouverne seul.**
1664	Molière, *Tartuffe* (comédie), représentée devant le roi à Versailles et aussitôt interdite sous la pression des dévots.
1666	Molière, *Le Misanthrope* (comédie).
1667	Racine, *Andromaque* (tragédie).
1668	Jean de La Fontaine, premier recueil des *Fables* (poésie).
1671	Molière, *Les Fourberies de Scapin* (comédie).
1673	Mort de Molière après une représentation du *Malade imaginaire* (comédie).
1678	Mme de Lafayette, *La Princesse de Clèves* (roman).
1680	Création de la Comédie-Française.
1682	**Installation de la cour à Versailles.**
1715	**Mort de Louis XIV.**

Autour de l'œuvre

Les grands thèmes de l'œuvre

La critique de l'autorité

Des pères ridiculisés

Selon Molière, la comédie a une fonction morale : elle doit « corriger les vices des hommes » en les « expos[ant] à la risée de tout le monde[1] ». C'est ce qu'on appelle la satire (critique moqueuse). Dans ce but, les défauts d'Argante et de Géronte sont ridiculisés par Scapin. Celui-ci décrit Géronte comme un « avare au dernier degré » (p. 53) et pense que « pour l'esprit, il n'en a pas [...] grande provision » (p. 53). Mais dans la scène dite « de la galère » (acte II, scène 7), point culminant de la satire, c'est Géronte qui révèle lui-même sa crédulité, sa lâcheté, sa mesquinerie et son manque de présence d'esprit. Même si Argante est traité moins durement, les deux vieillards paient, au sens propre comme au sens figuré, pour leur étroitesse d'esprit, leur avarice et leur lâcheté. Le rire de Zerbinette, dans la scène 3 de l'acte III, résume à lui seul tout ce que ces deux personnages inspirent au public.

Néanmoins, si cette autorité est remise en question par des enfants peu dociles et un valet irrévérencieux, la pièce ne propose pas un bouleversement de l'ordre établi, puisque le dénouement montre que les projets initiaux des pères étaient dans l'intérêt de leurs enfants (« le hasard a fait, ce que la prudence des pères avait délibéré », souligne Silvestre, p. 103). L'intrigue se dénoue de façon à concilier les décisions des pères et les désirs des jeunes amoureux, et non pas à faire triompher ceux-ci. L'autorité paternelle n'est donc pas réellement remise en cause.

Une justice inefficace

La pièce critique donc les pères, qui incarnent traditionnellement l'autorité au sein de la famille, mais aussi une institution qui représente l'autorité dans la société : la justice.

---

1. Préface de *Tartuffe*, 1669.

Dans la scène 5 de l'acte II, Scapin dépeint la justice comme un système corrompu dont les intervenants sont animés par l'appât du gain: «combien d'animaux ravissants par les griffes desquels il vous faudra passer» (p. 59). Les procédures elles-mêmes sont à la fois coûteuses, longues et complexes. Le charabia développé par Scapin dans ses longues tirades, chargées de termes juridiques obscurs, se veut à l'image de la justice de l'époque: incompréhensible. La justice est donc inaccessible aux plus modestes, pour des raisons financières mais aussi intellectuelles, la complexité des procédures judiciaires décourageant les individus peu habitués ou peu instruits.

Molière, qui a eu lui-même quelques démêlés avec la justice (voir l'interview imaginaire, p. 142-144), se sert donc de sa pièce pour critiquer la justice, et peut-être aussi pour prendre sa revanche avec malice.

Des maîtres critiqués

Dans la pièce, Molière décrit la façon dont sont traités les valets au XVIIe siècle (➡ voir aussi les images reproduites dans le cahier photos, p. III et p. IV): leurs maîtres ont presque tous les droits sur eux, et notamment celui de leur infliger des châtiments physiques. En témoignent la scène 3 de l'acte II, où Léandre, sans chercher plus d'explications, s'apprête à «passer [son] épée au travers du corps» de Scapin (p. 47), ainsi que la scène 5 de l'acte II, où le valet rappelle les mauvais traitements qu'il a subis: «je ne suis jamais revenu au logis, que je ne me sois tenu prêt à la colère de mes maîtres, aux réprimandes, aux injures, aux coups de pied au cul, aux bastonnades, aux étrivières» (p. 55). Ces comportements extrêmes et injustifiés sont implicitement critiqués. Mais cette critique est aussi formulée explicitement par Scapin: la domination des maîtres est selon lui illégitime, puisqu'ils ne l'ont pas gagnée, méritée («le mérite est trop maltraité aujourd'hui», p. 13).

C'est pourquoi Scapin se montre particulièrement irrévérencieux à l'égard des maîtres. Ainsi dit-il ouvertement ce qu'il pense d'Octave, qu'il considère comme une «pauvre espèce d'homme» (p. 23) après sa fuite à l'acte I. Il semble n'avoir aucun respect pour Léandre, qu'il a volé et battu, comme le révèle la scène 3 de l'acte II. C'est aussi par les coups qu'il se venge de Géronte dans la scène du sac à l'acte III. Ce geste revêt une signification symbolique : la violence physique n'est plus le privilège des maîtres.

Cependant, cette critique sociale n'est pas menée à son terme : les désobéissances de Scapin ne sont que des fourberies. Si elles sont dissimulées, c'est bien que Scapin craint encore l'autorité de ses maîtres. Une totale mise en question de l'ordre établi est impossible au XVIIe siècle : le statut même de maîtres et de valets n'est pas remis en cause, ce sont seulement leurs comportements qui sont critiqués.

La tromperie

Des fourberies qui font rire le spectateur

La pièce porte justement son titre : les fourberies orchestrées par le valet en sont le véritable sujet. Elles forment en fait de petites intrigues à l'intérieur de la trame principale, mises au service du rire : un spadassin est en quête de vengeance (acte II, scène 6 ; acte III, scène 2), un Turc séquestre Léandre sur sa galère (acte II, scène 7), un loup-garou a même asséné des coups de bâton à Léandre (acte II, scène 3). Scapin invente les situations les plus invraisemblables ; ainsi fait-il croire que du vin peut « s'échapp[er] » seul d'un tonneau (p. 48).

Les ruses de Scapin reposent sur son talent à manipuler le langage. Dans la scène 4 de l'acte I, il amène ainsi Argante à formuler le contraire de ce qu'il veut affirmer (p. 30). Son sens de la repartie donne lieu à des piques malicieuses, assez gratuites : « vous savez assez l'opinion de tout le monde, qui veut qu'il ne soit votre père que pour la forme » insinue-t-il à Léandre (p. 54). De façon paradoxale, les tromperies révèlent ainsi des vérités sur les autres personnages.

Pour mettre en scène ces fourberies, Molière exploite différents types de comique : comique de situation, de gestes, de mots et de caractère. Les quiproquos et les renversements de situation font loi. En cela, la pièce emprunte beaucoup à la farce, genre né au Moyen Âge, dont le comique repose sur l'exagération : grossièretés, coups de bâton, situations invraisemblables, le plus souvent autour d'une intrigue simple fondée sur le thème de la tromperie. Comme dans la farce, les personnages sont des types caricaturaux et sans profondeur psychologique.

Les motivations de Scapin

Les motivations de Scapin à tromper les autres personnages sont multiples. À la fin de l'acte I, il mentionne la nécessité de gagner de l'argent, qui est une de ses raisons d'agir, mais la suite de la pièce montre qu'il ne garde pas pour lui-même le fruit de ses ruses. C'est par sympathie qu'il accepte de rendre service à Octave et Léandre : « Il faut se laisser vaincre, et avoir de l'humanité. Allez, je veux m'employer pour vous. » (p. 21) À la fin de l'acte II, ses motivations évoluent : c'est par désir de vengeance qu'il va duper Géronte. Cependant, il semble que le premier mobile de Scapin soit avant tout le plaisir pris à la manipulation virtuose et à la fourberie elle-même. Celle-ci devient presque un exercice de style, une démonstration d'adresse, ce que le valet laisse paraître dans sa tirade du début de la pièce (acte I, scène 2).

Des pièces à l'intérieur de la pièce

Sur scène, des comédiens jouent des personnages jouant eux-mêmes un rôle : par sa pièce, Molière rend hommage au théâtre en même temps qu'il en exploite toutes les possibilités.

Scapin apparaît comme un homme de théâtre complet. Habile comédien, il est capable de passer du rôle d'Argante sermonnant son fils (acte I, scène 2) à celui de conseiller auprès des pères en colère. Il sait travestir sa voix et interpréter plusieurs personnages en même temps dans la scène du sac. Ce goût pour le déguisement est un ressort essentiel de son art ; il n'hésite pas à l'employer pour se changer en loup-garou et battre Léandre, ou à jouer le mourant dans la scène finale.

Mais il endosse aussi la fonction de dramaturge, car c'est lui qui invente toutes les situations auxquelles il participe : il crée des personnages (le frère de Hyacinte, le Turc, la troupe de soldats) et imagine des scénarios improbables (la galère et la rançon, la menace de mort sur Géronte).

Enfin, il se fait metteur en scène : il dirige le jeu des autres personnages, comme en attestent les conseils donnés à Silvestre à la clôture du premier acte : « Enfonce ton bonnet en méchant garçon. Campe-toi sur un pied. Mets la main au côté. Fais les yeux furibonds. Marche un peu en roi de théâtre » (p. 32-33).

Fenêtres sur...

 Des ouvrages à lire

D'autres pièces de Molière mettant en scène des tromperies

• Molière, *Le Bourgeois gentilhomme* [1670], Belin-Gallimard, «Classico», 2015.

Dans cette comédie-ballet, M. Jourdain, riche bourgeois, rêve de devenir noble. Pour cela, il engage différents professeurs qui lui enseignent les belles manières. Mais son manque de raffinement naturel le rend profondément ridicule, pour le plus grand plaisir du spectateur !

• Molière, *Le Malade imaginaire* [1673], Belin-Gallimard, «Classico», 2014.

Cette comédie-ballet met en scène Argante, hypocondriaque manipulé par sa seconde épouse et par des médecins tous plus incompétents les uns que les autres. Dans son seul intérêt, il décide que sa fille épousera un médecin, alors qu'elle est amoureuse de Cléante. Grâce à la malice d'une domestique, les masques finissent par tomber et l'amour et le rire triomphent.

La tromperie dans d'autres comédies

• Anonyme, *La Farce de maître Pathelin* [v. 1460], Belin-Gallimard, «Classico», 2012.
La tromperie est au centre de cette divertissante farce médiévale. Maître Pathelin, avocat sans scrupules, n'hésite pas à duper le drapier Guillaume pour ne pas lui payer sa marchandise. Mais si l'avocat malhonnête croit avoir trompé le benêt, c'est sans compter les retournements de situation que réserve cette comédie satirique.

• Georges Feydeau, *Dormez, je le veux!* [1897], Belin-Gallimard, «Classico», 2012.
Un domestique, Justin, a l'idée ingénieuse d'hypnotiser son maître Boriquet afin que celui-ci accomplisse les tâches fatigantes à sa place. Il va même jusqu'à utiliser ses dons pour tenter d'empêcher le mariage de Boriquet. Mais la pièce se joue des trompeurs, et l'hypnotiseur pourrait bien finir par devenir l'hypnotisé…

• Jules Romains, *Knock ou le Triomphe de la médecine* [1923], Belin-Gallimard, «Classico», 2008.
Knock, médecin qui vient de s'installer dans un village, décide d'offrir des consultations gratuites aux habitants pour se faire connaître. Mais le bon docteur se révèle vite charlatan: il abuse ses patients en leur prescrivant des traitements longs et coûteux alors qu'ils sont en bonne santé. Voici une satire mordante sur les médecins, mais aussi sur la vulnérabilité des hommes lorsqu'on aborde le thème de la maladie.

Des ouvrages sur l'histoire du théâtre ou sur Molière

• André Degaine, *Histoire du théâtre dessinée*, Nizet, 1992.
Un ouvrage pratique et ludique composé d'illustrations très pédagogiques pour tout savoir sur l'histoire du théâtre, de ses origines à nos jours.

• Pierre Lepère, *La Jeunesse de Molière*, Gallimard jeunesse, «Folio junior», 1999.
Ce récit passionnant raconte avec réalisme les débuts du jeune Jean-Baptiste Poquelin avant qu'il ne devienne le grand Molière.

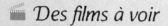

Des films à voir

(Toutes les œuvres citées ci-dessous sont disponibles en DVD.)

Des mises en scène des *Fourberies de Scapin*

• Mise en scène de Jean-Luc Moreau, avec Smaïn dans le rôle de Scapin, théâtre du Gymnase, Paris, 1994-1995.
Le metteur en scène place l'intrigue à Marseille et dans une époque plus récente, soulignant la modernité de la pièce de Molière.

• Mise en scène de Jean-Louis Benoit, avec Philippe Torreton dans le rôle de Scapin, Comédie-Française, Paris, 1997.
L'interprétation virevoltante de Philippe Torreton fait écho au jeu exagéré et plein de gaieté des comédiens italiens de la commedia dell'arte, source d'inspiration de Molière.

• Mise en scène de Pierre Fox, avec Alexandre von Sivers dans le rôle de Scapin, théâtre royal du Parc, Bruxelles, 2004.
Cette mise en scène témoigne de la volonté de créer un spectacle total et se rapproche de la comédie musicale.

Sur la vie à la cour de Louis XIV

• Gérard Corbiau, *Le roi danse*, 2000.
Ce film retrace la passion du jeune Louis XIV pour la danse, ainsi que ses relations privilégiées avec le musicien Lully. Il constitue un document intéressant pour découvrir l'art de cour au XVIIe siècle et permet de se représenter les divertissements royaux.

Sur Molière

• Ariane Mnouchkine, *Molière*, 1978.
De son enfance à son déclin, comment Jean-Baptiste Poquelin a-t-il forgé la légende de Molière ? La metteuse en scène retrace, dans un film de quatre heures qu'on peut visionner par extraits, la vie fascinante du dramaturge, et donne un aperçu de la vie des comédiens au XVIIe siècle.

Fenêtres sur...

• Laurent Tirard, *Molière*, 2007.

Cette comédie offre une vision romancée de la vie de Molière et de ses sources d'inspiration. Le spectateur a le plaisir de reconnaître les intrigues de ses pièces les plus célèbres.

@ *Des sites Internet à consulter*

Sur Molière

• www.toutmoliere.net

Un site très complet sur la vie et l'œuvre de Molière qui permet de consulter un glossaire, des commentaires et des résumés des pièces.

Sur le théâtre

• www.comedie-francaise.fr
• www.theatre-odeon.eu
• www.tns.fr

En collectant des informations sur les sites de ces trois théâtres, vous comprendrez l'histoire du genre en France, l'évolution des salles et des métiers, et vous découvrirez quelques figures marquantes du théâtre français.

Sur l'art au XVIIe siècle

• www.museehistoiredefrance.fr

Ce site donne accès aux collections de peinture qu'offre le musée, situé au château de Versailles. La rubrique « Grand Siècle » permet de découvrir de nombreuses œuvres, représentatives de l'art sous le règne de Louis XIV.

• sitelully.free.fr

Consacré au musicien et compositeur Lully, ce site propose une documentation sur le contexte historique de l'époque, sur les spectacles à la cour de Louis XIV et notamment sur les comédies-ballets, ainsi que sur d'autres artistes de l'époque.

Fenêtres sur...

🏛 *Des œuvres d'art à découvrir*

(Toutes les œuvres citées ci-dessous peuvent être vues sur Internet.)

• **Farceurs français et italiens**, attribué à Verio, estampe, 1670.
Cette illustration représente les plus fameux comédiens du XVIIe siècle dans le costume de leur personnage favori.

• **Crispin et Scapin**, Honoré Daumier, huile sur toile, vers 1864.
Cette toile, conservée au musée d'Orsay, représente deux valets inspirés de la commedia dell'arte en train de comploter.

• **Une scène des Fourberies de Scapin de Molière**, Fesch et **Whirsker, gouache, XVIIIe siècle.**
Conservée à la bibliothèque de la Comédie-Française à Paris, cette illustration représente le moment fort de la scène 3 de l'acte II, où Léandre est persuadé de la trahison de Scapin.

Dans la même collection

CLASSICOCOLLÈGE

Pour obtenir plus d'informations, bénéficier d'offres spéciales enseignants ou nous communiquer vos attentes, renseignez-vous sur www.collection-classico.com ou envoyez un courriel à contact.classico@editions-belin.fr

Cet ouvrage a été composé par Palimpseste à Paris.

La pâte à papier utilisée pour la fabrication du papier de cet ouvrage provient de forêts certifiées et gérées durablement.

Imprimé en Espagne par Novoprint (Barcelone)

Dépôt légal : avril 2013 – N° d'édition : 70116437-09/Juin 2021

 PEFC PEFC/14-38-00277